JN121264

言語の類型的特徴対照研究会論集

言語の類型的特徴対照研究会（編）

第 6 号

日中言語文化出版社

目　次
CONTENTS

特集論文「否定」
Special Issue "Negation"

否定現象の類型的特徴を目指して[1]
—アジア諸語を主軸に—
Toward the typological features of negative phenomena
—With special reference to Asian languages—

林　範彦（神戸市外国語大学）

Norihiko HAYASHI (Kobe City University of Foreign Studies)

要　旨

　本稿はMiestamo (2005)などの類型論的研究やシナ・チベット諸語に特化して整理したHayashi (2022)などを踏まえ、「標準否定」を中心とした否定現象の記述を行う本特集論文の総説を試みる。とりわけアジア諸語の問題を扱いつつ、否定辞の形式に始まり、否定辞と動詞語根の統語的な位置関係や否定のスコープ、時間表現・禁止表現・疑問との関係性について整理と概説を行った。

キーワード: 否定、類型的特徴、標準否定、否定辞の位置、対称否定と非対称否定、スコープ

1　はじめに

　言語の類型的特徴対照研究会の 2023 年度の特集は「否定」をテーマに編まれることとなった。否定はよく知られているように、言語にあまねく存在する現象である (Miestamo 2007 ほか)。そのため、馴染みの深い現象であるが、それゆえに否定に関わる問題は複雑に絡み合い、他の文法現象との関連性も一様ではない。Jespersen (1917)や Horn (1989, 2011(ed.)ほか)、加藤・吉村・今仁 (編) (2010)をはじめとする理論

---

[1] 本稿は 2022 年 12 月 3 日に ZOOM にて開催された言語の類型的特徴対照研究会において行った講演稿「アジア諸語における否定現象の類型的特徴における諸問題—シナ・チベット諸語を中心に」を大幅に補筆・改訂したものである。千田俊太郎氏(京都大学)から朝鮮語についてのご指摘をいただいたことをはじめ、同研究会の参加者から多くの貴重なご意見を頂戴した。ここに厚くお礼を申し上げる。なお、当然ながら、本稿の誤謬の一切は筆者に帰する。

的な研究だけでなく、Dahl (1979, 2011), Kahrel and van den Berg (1994), Miestamo (2005, 2007, 2013a, 2013b, 2017 など), Dryer (2008, 2013a, 2013b, 2013c, 2013d), van der Auwera and Krasnoukhova (2020)などの類型論的研究[2]、さらには一々の研究の紹介までは割愛するが、哲学や論理学などの他分野でも長く論じられてきたテーマであり、その記述や分析の方法も多様である。

　今回の特集では特に類型論的な観点から、各言語(とりわけアジアの諸言語[3])の否定のうち、標準否定に関する現象を中心に記述を行う。その上で、否定が他の文法現象といかなる点で相関するのかを解明する道筋を捉えたい。なお、本稿では、代表的なものを中心にこれまでの類型論的研究の成果や筆者がすでにシナ・チベット諸語に特化して整理した Hayashi (2022)[4]などを踏まえつつ、いくつかのアジア諸語を題材に本特集論文の総説を試みる。本論集で進める否定現象の類型論的分析を行う上での要点を整理しておきたい。

2　標準否定

　否定現象は周知の通り複雑多岐にわたる。否定を類型論的視点から整理する van der Auwera and Krasnoukhova (2020)から関連する否定表現を引用しておこう(1)。

(1)　a. Mary does *not* love him　　　　　　[standard negation]

　　　b. Mary does *not* love him *at all*　　　　[emphatic negation]

　　　c. Mary does *not* live here *yet*　　　　　[phasal negation]

---

[2] 本稿では紙幅の都合もありその全てを取り上げることはできないが、否定の類型論における研究史については Miestamo (2017)で整理されているので参照されたい。

[3] サハ語(江畑 2023)、モンゴル諸語 (角道 2023)、チワン語 (黄 2023)、ペルシア語 (ジェイ 2023)、ヒンディー語 (西岡 2023)、シンハラ語 (宮岸 2023)を収める形となる。いずれもアジアの諸言語である。各言語の否定については各論文を参照のこと。

[4] Hayashi (2022)はシナ・チベット諸語の否定現象の論文集としてまとめた Hayashi and Ikeda (eds.) (2022)の序論として、その一般的な特徴とポイントを簡潔に整理し、紹介したものである。なお、チベット・ビルマ諸語の否定については Hayashi (in preparation)にて概説を行う予定である。本稿でもチベット・ビルマ諸語の説明において Hayashi (in preparation)と部分的に重なる部分があることを了承されたい。したがって、以降の各節の説明においてシナ・チベット諸語の全般的な内容やチベット・ビルマ諸語の類似現象については Hayashi (2022, in preparation)も関連しているため、参照されたい。

d. I urge you *not* to talk to him   [subordinate negation]

e. *Doesn't* Mary love John?   [interrogative negation]

f. *Don't* listen to him   [imperative negation]

g. Fred is not a teacher   [ascriptive negation]

h. There are *no* blue tigers   [existential negation]

i. There are *no* blue tigers in France   [locational negation]

j. *Nobody* believes him   [negation of indefinites]

k. *No!*   [prosentential negation]

l. Mary *disagrees* with me   [derivational negation]

m. He was *without* money   [privative negation]

n. Don't be surprised if it *doesn't* rain   [expletive negation]

(meaning 'Don't be surprised if it rains', Horn 2010a[5]: 124)

(van der Auwera and Krasnoukhova 2020: 91-92, 例の提示方法は筆者による)

　さて、この中で類型論的な分析が集中的に施されるのは(1a)にあるような「標準否定 (standard negation)」である。「標準否定」は Payne (1985)によって名付けられ、その後、類型論者である Miestamo (2005)などによって用いられてきた概念である。これまで様々な説明があったが、一般に「陳述文における語彙的な主動詞の強調を伴わない否定 ("the non-emphatic negation of a lexical main verb in a declarative main clause" (van der Auwera and Krasnoukhova 2020: 91)」を指すと考えられる。この考え方に従えば、van der Auwera and Krasnoukhova (2020)の示すように(1b-j)はすべて「非標準否定 (non-standard negation)」ということになる。[6]

　ただし、van der Auwera and Krasnoukhova (2020)も述べているように、実際には各言語で否定表現のストラテジーは異なっている。例えば、(1h)や(1i)については、日

---

[5] 原文では「Horn 2010a: 124」となっているが、正しくは「Horn 2011: 124」であると考えられる。

[6] もちろん、よく知られているように(Dahl 2011 など)、このほかにも irregular, unhealthy や「不幸」「未分類」といった「形態的否定」(morphological negation)なども存在するが、今回の論集のテーマからは原則除外したい。ただペルシア語の否定を扱ったジェイ(2023)は「構成素否定」にも言及している。またシンハラ語の否定を扱った宮岸(2023)では「語彙的否定接頭辞」としてサンスクリット語やパーリ語由来の接頭辞に言及している。なお、「形態的否定」の一部である affixal negation の問題については Joshi (2020)を参照のこと。

本語では「(フランスには)青い虎はいない」が相当する。確かに英語では存在物に対して no が修飾しているので特殊な否定と言えるかもしれない。しかし、日本語では主動詞の否定が行われているので、標準否定に属する。この点を考えれば、(1)を他の言語に訳した場合に、その言語でも同じような否定のラベル付けが行われるとは限らない。これは類型論的分析だけでなく、記述研究においても十分注意すべき点である。

　したがって、本論集でも「標準否定」を中心に記述し、類型論的に分析を加える。ただし、その周辺的な現象や関連事象についても無理に切り捨てることなく、必要に応じて言及を行うこととしたい。なお、本稿では本論集が主として扱うアジア諸語[7]を中心に言及する。

3　否定表現の手法と形式

　さて、標準否定の表現形式について見ておこう。日本語の例を(2)に挙げる。

(2)　a.　生きる (iki-ru)→生きない (iki-**na-i**)、食べる (tabe-ru)→食べない (tabe-**na-i**)、受ける (uke-ru)→受けない (uke-**na-i**)、足りる (tari-ru)→足りない (tari-**na-i**)、など。
　　b.　行く(ik-u)→行か**ない** (ik-**ana-i**)、読む (yom-u)→読ま**ない** (yom-**ana-i**)、死ぬ(in-u)→死な**ない** (sin-**ana-i**)、会う (aw-u)→会わ**ない** (aw-**ana-i**)、など。

　よく知られているように、日本語の動詞語幹は母音終わり語幹と子音終わり語幹の2種類がある。益岡・田窪 (1992: 66-67)では否定を表す接尾辞として「ない」を挙げながらも、活用語幹が母音終わり語幹である場合には nai を、子音終わり語幹である場合には anai をつけるとしている。(2a)と(2b)はそれぞれ前者と後者の例として挙げられよう。これは否定を表す形態素として|nai|を設定し、動詞語幹が母音終わりか子音終わりかのいずれかに応じて nai~anai の異形態が現れる、という考え方である。

---

[7] なお、本稿では十分言及できていないが、北東ユーラシア諸語(サハ語[江畑 2015]、コリマ・ユカギール語[長崎 2015]、アリュートル語[永山 2015]、イテリメン語[小野 2015])の否定については『北方言語研究』第 5 号(2015 年)に特集があるので、参照されたい。

このように動詞語幹の音韻的条件に合わせて、否定辞の形式が替わる言語[8]もある一方で、存在の否定[9]かいなかやテンス・アスペクトなどの文法現象によって異なる否定辞を使い分ける言語もある。[10] 例えば、よく知られるように朝鮮語では存在否定は他の動詞の否定と異なる形式を用いる。(3)を見られたい。

(3)

肯定	否定
가다　ka-ta「行く」	안 가다 **an** ka-ta「行かない」
있다　iss-ta「ある」	없다　**eps**-ta「ない」

(小学館・金星出版社 1993 を元に挙例)

　(3)のように、一般に動詞の否定を行う際、an を動詞に対して前置させる。これに対し、存在動詞の肯定形である iss-ta「ある」に対しては、eps-ta が否定形として対応する。an[11]をここでは用いない。中国語普通話[12]でも否定辞は「不 bù」を動詞に対して前置させるが、存在動詞「有 yǒu」に対しては「没 méi」を前置させる(Yip and Rimmington 2016 ほか)。動詞の意味ごとに否定辞の形式を違えるか否かは重要な点である。[13] [14]

---

[8] ネパールのメチェ語(Kiryu 2022)やインド北東部のカルビ語 (Konnerth 2020)などが例として挙げられる(Hayashi in preparation)。
[9] 存在否定については Croft (1991)がその歴史的な循環変化を論じているので参照されたい。Croft (1991)では Type A (存在述語に動詞否定辞を配置するタイプ), Type B (動詞否定辞とは別の特別な存在否定述語が存在するタイプ), Type C (特別な存在否定述語が動詞否定辞と同形であるタイプ)の 3 種の類型を認めている。
[10] テンス・アスペクトの問題については 6 節で略述することとしたい。
[11] 動詞・形容詞の前に置かれるときにはこの形式であるが、否定辞を後置させる時もある。その場合は V-지 않다 V-ci anh-ta の構造を取る(黒島 2018)。
[12] 中国語の否定表現については日本語・中国語による数多くの記述があるが(刘 2005 など多数)、英語で記述されたものとしては Wiedenhof (1993)や Chappell and Peyraube (2016)などもある。合わせて参照されたい。
[13] 本論集の黄(2023)ではチワン語の否定表現が取り上げられている。チワン語では mɯj2, po:4, caŋ2 の 3 種の否定辞があるようだが、そのうち、mɯj2 は所有動詞 mɯj2 と同音とのことである。したがって、所有の否定を行う際には、po:4を所有動詞 mɯj2 の前に置くという。caŋ2 は主として未然の否定に用いられるようである。
[14] 2 節(1)で見たように、「存在否定 (existential negation)」は「標準否定」と異なるカテゴリとして位置付けて論じられることも多い。van der Auwera and Krasnoukhova (2020)ほかを参照のこと。

またアイヌ語については以下の引用した例にみるように、語彙的な否定形式が存在する。

表1: アイヌ語の否定形式 (Tamura 2000: 226)

	否定辞	NB.
一般動詞	somo V	
存在動詞	isam「ない」	an「ある」
持つ	sak「もたない」	kor「もつ」
わかる	erampewtek「わからない」	eram(u)an「わかる」
馴染みのある	eramiskari「馴染みのない」	amkir「馴染みのある」
できる	eaykap「できない、下手だ」	easkay「できる、上手だ」

　表1にみるように、kor「もつ」の否定形は somo kor ではなく sak「もたない」となる一方で、amkir「馴染みのある」の否定形は eramiskari「馴染みのない」となる。

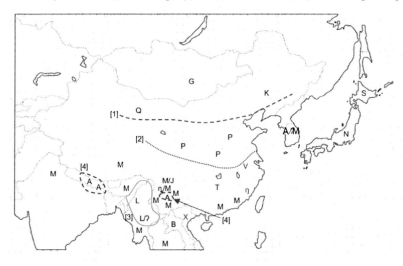

図1: アジア諸語における標準否定の頭子音の分布 (Hayashi 2022: 6 を一部改訂)

否定辞の音形を概観すると、アジア諸語においては頭子音に鼻音あるいは両唇音を持つ形式が多く分布している (Hayashi 2022 など)。図 1 は Hayashi (2022: 6)で掲示したものを一部改訂している。[15] 以下、これに基づき若干説明しよう。[1]よりも北部に分布するアルタイ諸言語は軟口蓋音や口蓋垂音を頭子音にもつが、[1]から南部のユーラシア大陸東部の諸言語は語族にかかわらず両唇音を頭子音に持つ言語が多い。[1]と[2]の間の地域の漢語方言は閉鎖音だが、[2]以南の地域は鼻音である。この点は橋本(1978)の整理に基づく。

ミャンマー北部およびバングラデシュを含む[3]のチベット・ビルマ諸語は l-を頭子音に持つ。また[4]で囲んでいる地域のチベット・ビルマ諸語は否定辞が a-となる。

4 否定辞の現れる位置

否定辞はいかなる位置に現れるだろうか。[16]本節で少し概観してみたい。

マックス・プランク人類学研究所が中心となって運営していた World Atlas of Linguistic Structure (通称 WALS)は言語類型論において長らく用いられたが、2023 年に Grambank としてリニューアルされた。WALS も Grambank も個々の指標の整理方法に特徴があるが、本テーマでは的確性の観点から WALS が優位であると考えるのでそれに言及する。[17]

---

[15] 朝鮮語について改訂を行った。朝鮮語では an を標準否定で用いるが、못다 mos-ta「できない」の存在を含めて、表示を変更した(小学館・金星出版社 1993 も参照)。

[16] 生成文法的な観点からの否定辞の位置に関しては(主としてイタリア語諸方言を例としているが) Poletto (2020)を参照のこと。本稿はあくまで記述言語学的・言語類型論的な手法に立脚しているので、言語理論の側面には立ち入らない。

[17] Grambank では否定辞の位置に関して 2 種類のパラメータを設定している。「標準否定は節末で表示されうるか」(Feature GB137; Patrons = Hannah J. Haynie)と「標準否定は節頭で表示されうるか」(Feature GB138; Patrons = Hannah J. Haynie)である。当該言語がパラメータに関与すれば、判定値は「1」が与えられ、関与しなければ「0」が与えられる。ただし、この分析は注意を要する。よく知られるように、東アジアの諸言語は節末に動詞句が置かれる言語も多いが、その動詞の前に否定辞が置かれる場合は上記のパラメータのどちらにも関与しないと判定されるからである。

例えば、中国語普通話は以下の(i) (=本文 10b)のように標準否定において否定辞「不」が動詞語根「去」の前に置かれるが、節頭でも節末でもないため、いずれの判定値も「0」とされる。

(i)　我　　不　　　去。　「私は行かない。」
　　　Wǒ　bú　　　qù
　　　1SG　NEG　　行く

問題の中心を「標準否定は動詞語根に対してどの位置に現れるか否か」に移すこととする。これについてはシナ・チベット諸語やチベット・ビルマ諸語において Hayashi (2022, in preparation)が Dryer (2008)などを用いながら整理しているが、少し範囲を変えて概説を試みよう。

　なお、本稿と類似の調査を行った先行研究としては De Haan (1997)が一例として挙げられよう。De Haan (1997)は米国の Joan Bybee 教授が率いた GRAMCATS プロジェクトのデータベースを駆使して、否定辞と基本語順、あるいは否定辞とモダリティの順序などを調べている。サンプル数は全部で 76 言語であり、De Haan (1997)の当該箇所ではそのうち 75 言語を対象として分析している。De Haan (1997)の調査時に比べ、現在はより幅広いデータが検索できるようになっている。以下ではWALSのデータと記述からより詳細に整理を試みたい。[18]

　WALS #143A (Dryer 2013c)では否定辞が独立語であるか接辞であるかを区別して整理している。独立語である場合は Neg とだけ記す[19]。接辞である場合は [Neg-V]あるいは[V-Neg]のように表示する。WALS #143A によると、独立語である場合、NegV は 525 言語、VNeg は 171 言語、接辞の場合については、[Neg-V]は 162 言語、[V-Neg]は 202 言語となっている(Miestamo 2017も参照のこと)。興味深いのは、否定辞が独立語の場合は動詞の前に置く言語が圧倒的に多く[20]、接辞の場合は動詞の後ろに置かれる場合がやや多いことである。ただ、語か接辞かの区別を取り除くと、動詞の前に置く場合(687 言語)が後ろに置く場合(373 言語)に比べて多いという結果になる。

　すなわち、このパラメータの設定では、十分に特徴を引き出せない言語が多くなる。したがって、少なくともアジアの諸言語においては有効な設定とは言えない。

[18] 否定文と肯定文で基本語順が変更される言語に対するWALSを用いた分析についてはLyu (2023)を参照されたい。Lyu (2023)は WALS #144C (Dryer 2013d)を分析指標として用いている。

[19] WALS #112 (Dryer 2013b)も否定辞の形態素について整理している。データ総数 1157 言語のうち、否定接辞が 395 言語、否定助詞が 502 言語、否定助動詞が 47 言語あるとする。Miestamo (2017)も参照のこと。

[20] 西岡(2023)でも確認されるが、現代ヒンディー語では SOV 語順であり、かつ否定辞が独立語である。その上で否定辞(nahĩ)が動詞の前に置かれる。他方、サハ語も同様に SOV 語順であり、否定辞が独立語のようだが、否定語が動詞の後ろに置かれるようである(江畑 2023)。モンゴル諸語も SOV であるが、動詞に対して否定辞が前置されるタイプと後置されるタイプとがあり、言語差が見られるようだ(角道 2023)。

[21]もちろん、全ての言語を調査しているわけではないので、あくまで参考程度に捉えるべきである。

この結果に基本語順の要素を掛け合わせるとどうなるだろうか。SOV と SVO の 2 つの語順に絞って WALS (Dryer 2013a, c)の結果を整理すると表 2 のようになる。[22]

表2: SOV と SVO の否定の類型との相関関係 (Dryer 2013a, c を用いて析出)

		SOV	SVO
(a)	NegV <Type 1>	149	149
(b)	VNeg <Type 2>	48	94
(c)	[Neg-V] <Type 3>	49	67
(d)	[V-Neg] <Type 4>	128	13
(e)	NegV <Type 1> & VNeg <Type 2>	6	9
(f)	NegV <Type 1> & [Neg-V] <Type 3>	2	0
(g)	NegV <Type 1> & [V-Neg] <Type 4>	4	5
(h)	VNeg <Type 2> & [Neg-V] <Type 3>	0	2
(i)	VNeg <Type 2> & [V-Neg] <Type 4>	8	0
(j)	[Neg-V] <Type 3> & [V-Neg] <Type 4>	6	0
(k)	Obligatory Double Negation	36	50
(l)	Optional Double Negation	24	33
(m)	Negative Tone	0	1
(n)	Optional Triple Negation & Obligatory Double Negation	1	4
(o)	Optional Triple Negation & Optional Double Negation	1	0

[21] Jespersen (1917: 5)でもすでに「否定辞が否定される語の前にくるのは自然な傾向である」旨述べられているが、現在の語順類型論で弾き出される傾向にも部分的に当てはまる(De Haan 1997: 207)。De Haan (1997: 207)で指摘されるように、Jespersen (1917)で扱われるデータは VO 言語に偏りがあり、OV 言語を調べると、VNeg の語順がより現れやすい。
[22] WALS の特長の一つは、複数のパラメータを掛け合わせて、言語地図の上に位置付けることができる機能があることである。本稿の表 2 もその機能を利用して整理した。具体的には #81A(Dryer 2013a)と#143A(Dryer 2013c)のパラメータを掛け合わせたものである。表2 では接中辞に関する指標は除外した。ちなみに WALS#81A と143A では SOV 型の 1 言語で Type 3 と接中辞を持つとされる。
　なお、これまでの類型論でも WALS を用いた整理は行われており、Miestamo (2017)や van der Auwera and Krasnoukhova (2020)などが挙げられよう。Miestamo (2017)でも WALS #71 (van der Auwera and Lejeune with Goussev 2013), #112, (Dryer 2013b), #113 (Miestamo 2013a), #114 (Miestamo 2013b), #115 (Haspelmath 2013), #143 (Dryer 2013c), #144(Dryer 2013d)などに言及しているが、本稿のようにパラメータの掛け合わせの結果は用いていない。

ひとまず、「(形式上の)二重否定」[23]および「(形式上の)三重否定」[24]などのタイプを除いた(a)-(j)を合計すると、SOV 型で 400 言語、SVO 型で 339 言語となる。このうち、大多数が(a)-(d)の枠組みに入るが、その合計は SOV 型で 374 言語(93.5%)、SVO 型で 323 言語(約 95.3%)である。van der Auwera and Krasnoukhova (2020: 105)も WALS #144 (Dryer 2013d)を用いて、SOV 型では SONegV 型と SOVNeg 型が多く、SVO 型では SNegVO 型と SVONeg 型が多いと整理しているが、否定辞の自立性には言及していないようである。表 2 の(a)-(d)のタイプを見直すと、SOV 型と SVO 型で最も顕著に異なるのは(d)である。SOV 型では 128 言語(32%)あるのに対し、SVO 型では 13 言語(約 4%)しかない。つまり、否定辞が接尾辞として生起するのは SOV 型の方に強い傾向があると言える。De Haan (1997: 206)では「OV 言語」と「VO 言語」のカテゴリで統計をとっているが、OV 言語は[V-Neg](bound VNeg)が 17 言語(46%)であるのに対し、VO 言語では 2 言語(4.8%)となっている。表 2 の結果はこれを部分的に支持するものである。[25]

　他方、否定辞の自立性[26]についてはどうだろうか。これは(a)と(b)に関与する。SOV 型では合計 197 言語、SVO 型では 243 言語となるが、それぞれ(a)-(j)の総計言語数

---

[23] 「(形式上の)」と付記しているのは、「(機能上の)二重否定/多重否定」と区別しなければならないからである。よく知られるように、フランス語の文語のように動詞に対して否定辞を接周辞(circumfix)的に配置する(*ne V pas*)言語があるが、機能としては単純否定(single negation)である。機能上の二重否定は、「都合によってはその会合に**行かなくはない**」のように否定表現をさらに否定し、発話意図としては肯定を含む(「会合に行くかもしれない」)場合を指す(Horn 2011 なども参照のこと)。なお、形式上の二重否定についての地理的分布や類型については WALS #144F, #144G, #144N, #144O, #144U (WALS #144; Dryer 2013d)なども参照のこと。また形式上の二重否定・多重否定については「イェスペルセンの環」(Jespersen's Cycle)という循環型の言語変化がつとに知られているが、本稿では扱わないこととする。詳細は van der Auwera (2009), Larrivée (2011), van der Auwera (2011), van der Auwera and Vossen (2017)や Hayashi (2022)などを参照のこと。
[24] 形式上の三重否定あるいは多重否定はネパールの言語に散見される。例えば、Ebert (1997: 30fn)の資料によれば、チャムリン語 (Camling)は動詞語根に否定接頭辞 1 つと否定接尾辞 2 つがついて形式上三重否定を表すが、機能的には単純否定である (Hayashi in preparation)。なお、形式上の多重否定についての地理的分布や類型については WALS #144E, #144M (WALS #144; Dryer 2013d)なども参照のこと。
[25] 反対に肯定文を否定文に変換する際に、基本語順そのものの配置も変換されるケース(例: 肯定文 VSO, 否定文 SOV)もある。これについては Pearce (2020)を参照のこと。
[26] 否定辞が接辞か、助詞かということは形態論的には重要なテーマであろう。これについては Payne (1985), Dahl (2011)に類型論的な整理があるので参照されたい。Dahl (2011)ではトルコ語

の比率では約49.3%、約71.7%となる。SOV型でも相当数において否定辞の自立性が確認できる[27]が、どちらかといえばSVO型において否定辞の自立性があるといえるだろう。これは元来SVO言語の方が孤立性の高い言語となる傾向に起因しているといえるかもしれない。サンプル数は少ないものの、De Haan (1997: 206)で述べられた「(De Haan 1997の3.2節・3.3節で検討された)SOV言語のほとんどは自立性のある否定辞が動詞の前にくる」という結論を表2は支持する結果となる。

　(e)-(j)は標準否定を複数の位置で表現するという指標である。これらの合計はSOV言語で26言語[28]、SVO言語で16言語である。(a)-(j)の全体数からの比率では前者が6.5%、後者が約4.7%であり、有意味な差異はないと考えられる。この中でSOV言語に特徴的なのは(i)と(j)であり、26言語中14言語が相当する。これはType 4が関与している。ここで否定辞が接尾辞として用いられることに強い傾向があるのは、複数位置による否定表現においても変わらない。他方、SVO言語の場合においては(e)と(g)が16言語中14言語を占めている。やはりこちらはType 1, すなわち否定辞が自立的であり、動詞に対して前置されるということに強い傾向がある。ただし、興味深いのは、Type 1と並行して用いられる手法がType 2あるいはType 4であり、いずれも動詞に対して後置されるタイプという点である。

　ちなみに筆者の専攻するチベット・ビルマ諸語の多くはSOV型の語順を取る(Matisoff 2003ほか)。否定辞については、Dryer (2008)やHayashi (2022)ほかが指摘

の否定接尾辞の例が挙げられている。否定を自立性の高い不変化詞で表す場合については否定助詞 (negative particle)として分析する見方もある(Payne 1985, Dahl 2011などを参照)。
[27] Tamura (2000)の記述に基づけば、アイヌ語についてはSOV型語順をとりながら否定辞前置型<Type 1>となる(否定辞は自立的である)。しかし、否定辞が動詞の直前位置(ii)だけでなく、目的語の前にも置くことができる点(i)は興味深い。以下の例はTamura (2000: 28)からの引用である。
(i)　ku-yupo　　　　　　　　**somo**　cep　　koyki
　　1P.SG.NOM-older brother　NEG　fish　　catch
　　「私の兄は魚を捕まえなかった。」[強調・グロス・訳は筆者]
(ii)　ku-yupo　　　　　　　　cep　　**somo**　koyki
　　1P.SG.NOM-older brother　fish　　NEG　　catch
　　「私の兄は魚を捕まえなかった。」[強調・グロス・訳は筆者]
[28] De Haan (1997: 204)ではモーダル要素が入ってくる場合、否定辞の位置が変わる言語について指摘している。ブリヤート語[Buriat](SOV)は通常動詞に否定の接尾辞が付加されるが(SOV-Neg)、モーダル要素が入ると、自立性のある否定語が動詞に対して前置される(SONegV)という。

するように多くの言語で動詞に対して前置されるタイプの語順を取るが、ヒマラヤ地域を中心に動詞に対して後置されるタイプを取る言語もある。表2のSOV言語においては、否定辞の自立性を除いて考えると、(a)+(c)である198言語に対し、(b)+(d)である176言語で、若干動詞に対して前置される言語が多い。チベット・ビルマ諸語は見事にその傾向に当てはまると言えよう。[29]

5 否定のスコープ

　スコープは否定研究において主要なテーマの一つである。数量詞句との関係は議論の中心になることが多い。日本語の否定のスコープに関する研究はこれまでにも多くの記述や理論的な分析がなされてきた(片岡2006, Kishimoto 2018, 龔 2022など多数)。(4a)は(4b)と異なる意味を持つ。よく知られるように、(4a)は全部否定であるが、(4b)は部分否定の読みとなる。益岡・田窪 (1992: 143)も参照されたい。

(4)　a.　学生が全員来ていない。
　　　b.　全員の学生が来ているわけではない。

　これは多くの言語で確認される事象である(Payne 1985, Dahl 2011, van der Auwera and Krasnoukhova 2020など)。黒島(2018)によれば、以下の朝鮮語においても全部否定と部分否定があり、統語構造が異なる。

(5)　모든　　　　학생이　　　　참가하지　　　　**않**았다.
　　 motun　　 haksayng=i　　chamkaha-ci　　**anh**-ass-ta
　　 全ての　　 学生=NOM　　参加する-NML　　NEG-PAST-DECL
　　「全ての学生が参加しなかった／学生は全員参加しなかった。」[30]
　　[数量の全部否定] (黒島 2018: 221) [太字は筆者, 一部グロス改訂]

---

[29] Dahl (2011)でも基本語順と否定の語順の関係について言及している。本稿のような数値での説明ではないが、否定辞が動詞の直前位置に現れる傾向があることを述べている。そのほか、形態的否定や助動詞の取り扱いなどの問題との関係について言及している(Dahl 2011)。
[30] 黒島(2018)では(5)の他にもう一つの表現例を示しているが、ここでは(6)との対照のため(5)の構造の例のみを引用した。

(6) 모든　　　학생이　　　참가한　　　　　　　것은
motun　　haksayng=i　chamkaha-n　　　　kes=un
全ての　　学生=NOM　参加する-ADN.PAST　こと=TOP

아니다.

ani-ta

NCOP-DECL

「全ての学生が参加したわけではない。」[数量の部分否定]

(黒島 2018: 222) [太字・斜体は筆者, 一部グロス改訂]

(5)は全部否定、(6)は部分否定の読みとなる。ポイントは黒島 (2018)によれば、部分否定の時には独立性の低い不完全名詞〈것〉kes が用いられることである。

　動詞連続においてもスコープの問題は生じる。姜(2022)のデータと説明によれば、中国雲南省で話されるコプ語(葛頗語; チベット・ビルマ語派ロロ・ビルマ語支)では動詞語根が2個連結した構造において、否定辞がその両方の動詞をスコープに取る際は、否定辞が第1動詞と第2動詞の間に置かれる(7)。しかし、第2動詞のみをスコープに取る場合、第1動詞の後に従属節標識の le^{33} を生起させねばならない(8) (Hayashi in preparation も参照)。[31]

(7)　$ɑ^{55}zɛ^{21}$　$ɦo^{21}tʂɑ^{35}$　$tʂɑ^{214}$　$\textbf{mɑ}^{\textbf{21}}$　dzu^{21}.
　　母　　　野菜　　　煮る　　NEG　　食べる
　　「母は野菜を煮て食べなかった。(=母は野菜を煮ることも食べることもしなかった。)」(姜 2022: 184) [例の表記・グロス・訳などの改訂は筆者]

(8)　$ɑ^{55}zɛ^{21}$　$ɦo^{21}tʂɑ^{35}$　$tʂɑ^{214}$　le^{33}　｜$\textbf{mɑ}^{\textbf{21}}$　dzu^{21}.
　　母　　　野菜　　　煮る　　SBRD　｜NEG　　食べる
　　「母は野菜を煮たが、食べなかった。」(姜 2022: 184)
　　[例の表記・グロス・訳などの改訂は筆者]

---

[31] チベット・ビルマ諸語の否定のスコープに関しては Post (2015)や Hayashi (2022)なども参照されたい。

(8)を見るとわかるように、*le*[33] は否定のスコープが左側へ波及するのをブロックしている。このように従属節標識や否定辞の配置などによって否定のスコープが変わりうることは類型論的分析においても重要なテーマである。[32]

このほか、スコープの問題はモーダル要素との関係性などをはじめ多岐にわたる。[33] 各言語の特性に応じて本論集も記述が進められる。

6 時間表現との関係性

否定は時間表現と特殊な関係が見出される場合がある。例えば、Miestamo (2017: 412 例(11))で例示されるように、フランス語の動詞「歌う」chanter は 1 人称単数現在形で je chante(肯定)/ je ne chante pas (否定)に対し、その半過去形は je chantais (肯定)/ je ne chantais pas (否定)となり、時間表現が変わったとしても否定表現が肯定表現と 1 対1に対応する。このような現象は一般に「対称否定 (symmetrical negation)」と呼ばれる (Miestamo 2005, 2007, 2013a, 2013b, 2017 など)。

他方、よく知られているように、肯定では時間表現の対立が認められるのに対し、否定ではその対立が「中和」する現象も存在する。このように否定表現が肯定表現と 1 対 1 で対応しない現象は一般に「非対称否定 (asymmetrical negation)」と呼ばれる (Miestamo 2005, 2007, 2013a. 2013b, 2017 など[34])。代表的な例としてはビルマ語ヤンゴ

---

[32] スコープは意味論の研究でも極めてよく研究されており、Payne (1985)などでも議論される。Payne (1985)では否定は旧情報と新情報の境界位置に置かれるとしているが、実際のところは複雑である。Dahl (1979)も述べるように、否定と焦点との関わりは言語ごとに異なっており、場合によってはスコープの範囲を違えることがある。否定のスコープに関する整理は Miestamo (2017) などを参照のこと。

[33]De Haan (1997)では否定辞がモーダル要素をスコープに取りうるストラテジーとして、Modality Suppletion Strategies (MSS, 否定辞が広いスコープを取るか狭いスコープを取るかはモーダル要素ごとに決定される)と Negative Placement Strategies (NPS, 否定辞が広いスコープをとるか狭いスコープを取るかは否定の方法、とりわけ否定辞の位置によって決まる)の 2 種が存在すると述べられている。MSS のタイプは英語(SVO), オランダ語(SVO/ SOV), スコットランド・ゲール語(VSO), タミル語(SOV)などなのに対して、NPS のタイプはイタリア語(SVO), フランス語(SVO), ヨルバ語(SVO), マレー語(SVO), クメール語 (SVO), 中国語 (SVO)などであり、SVO 言語に集中していると整理している(De Haan 1997: 121)。なお、アルタイ諸言語におけるモダリティと否定に関することは風間(2021)の分析を参照されたい。

[34] Miestamo(2005, 2013b, 2017など)では非対称否定に4つの下位分類を設けている。Miestamo (2013b)より以下を整理しておこう。(i) A/Fin 型 (否定構文では節に新しい定動詞を追加した上で、語彙動詞は追加された定動詞に対して非定形あるいは/かつ従属要素として並置されるタイプ),

14

ン方言がよく知られる (Miestamo 2005, 2007, Hayashi 2022 など)。以下に例を挙げて
おこう。

[ビルマ語ヤンゴン方言] (加藤 2015) [グロスは筆者による]
(9) a. sá-dɛ̀   b. sá-mɛ̀
       食べる-REAL   食べる-IRR
       「食べる/食べた」   「食べるだろう」
    c. mă-sá-phú
       NEG-食べる-NEG.MOD
       「食べない/ 食べなかった/ 食べるつもりがない」

　加藤(2015)などのビルマ語の記述、ならびに Miestamo (2005, 2007 など)や Hayashi
(2022)などでも解説されるように、肯定文では(9a)や(9b)のように過去/現在と未来の表
現の対立が存在する[35]が、(9c)に見るように、否定文ではその対立が中和する。[36]
　　中国語普通話では過去と未来の時点において、否定表現を交替させることはよく
知られている(Wiedenhof 1993, Yip and Rimmington 2016 ほか)。(10)[37]をみられたい。

(ii) A/ NonReal 型 (イベントの現実性標示に関して非対称的。否定文は非現実カテゴリーによっ
て義務的にマークされるが、肯定文は義務的ではない), (iii) A/ Emph 型 (肯定文では現れない
強調要素が否定文では生起する), (iv) A/ Cat 型 (否定文において文法範疇 [時制、アスペクト、
ムード、人称、数など]の標識が交替する)。WALS #114 (Miestamo 2013b)に付属する地図#114
では各下位分類の地理的分布が付されている。Miestamo (2013b)では(i) A/ Fin 型は世界のほと
んどの地域で分布するが、北部・東部のユーラシア、南米、ニューギニア、北東アフリカで見ら
れるとする。(ii)A/ NonReal 型はオーストラリアなどでもよく見つかるとしている。ただし、オースト
ラリアの Warndarang 語のように各下位分類が同一言語内で併存するタイプも見られるようである
(Miestamo 2013b)。したがって、実際には各言語の否定を各下位分類のいずれかに位置付ける
のは難しいと考えられる。
[35] ビルマ語に時制の存在を認めるかどうかには議論がある。加藤(2015)ほか多くの研究ではビ
ルマ語は無テンス言語 (tenseless languages)の 1 つであると考えられており、上記の過去/現在と
未来の対立はムードの対立、すなわち、いわゆる現実相(realis)/ 非現実相 (irrealis)の対立であ
ると見る。時制の観点からの分析については Gärtner (2005)などを参照のこと。
[36] ビルマ語については Miestamo (2005, 2007 など)では(iv) A/ Cat/ TAM 型であるとしている。
[37] 本例は筆者の大学院博士課程のクラスに出席している(あるいは、出席していた)中国語母語
話者の大学院生(陈鸿，李仁治，刘凌霄，沈宏，王星月，徐文笑，张玲の各氏)に確認した。こ
こに記して感謝を申し上げる。

(10)　a.　我　　去。　　　　　b.　我　　不　　　去。

　　　　wǒ　qù　　　　　　　　wǒ　**bú**　　qù

　　　　1SG　行く　　　　　　1SG　NEG　　行く

　　　　「私は行く。」　　　　　「私は行かない。」

　　　c.　我　　去　了。　　　d.　我　　没　　　去。

　　　　wǒ　qù　le　　　　　　wǒ　**méi**　qù

　　　　1SG　行く　ASP　　　　1SG　NEG　　行く

　　　　「私は行った。」　　　　「私は行かなかった(行っていない)。」

　　中国語普通話では(10a)のような未来の表現について(10b)のように〈不〉bù を置くことで、否定文を構成することができる。一方で、(10c)のような過去の事態に対しては否定辞を替えて〈没〉méi を置く(10d)。実は中国語では以下の(11)の表現も存在するのだが、過去の事態ではなく、予定のキャンセルを表している。

(11)　　我　　不　　　去　　了。

　　　　wǒ　**bú**　qù　le

　　　　1SG　NEG　行く　ASP

　　　　「私は行かないことにした。」

　　(11)は(10c)に〈不〉bù を置いているようにも見えるが、予定のキャンセルを表している。[38]この点から考えれば、(11)はむしろ(10b)の文末に〈了〉le を置いた例であるとみるべきである (Yip and Rimmington 2016: 370-371 の例も同様なので参照されたい)。

　　WALS #113A (Miestamo 2013a)で示されるように、対称否定はヨーロッパ大陸部や東南アジアに分布している。インド・ヨーロッパ語族の言語のように定動詞の屈折が体系的なことや、東南アジア諸語のようにそもそも時制自体を認めないことが対称否定

---

[38] この例文について、中国語を母語とする筆者の大学院博士課程のクラスの学生(元学生を含む)に確認をしたところ、概ね同様の意見であった。また成田ほか(2013)の中国語初級レベルの教科書でも同様の日本語訳が付されている。中国語の判断と情報をお寄せいただいた以下の皆様にこの場を借りてお礼申し上げる: 卞春婷，陈鸿，陈学雄，韩天姿，靳卉芝，刘凌霄，沈宏，王星月，张玲の各氏。

となることを支えていると見て良い。しかし、実際のところ、対称否定と非対称否定の両方を用いる言語(「併用型」)が多く、WALS #113A で整理された 293 言語のうち 130 言語がそれにあたる。[39] 注意すべきは、WALS #113A ではあくまで標準否定が分析対象であるので、否定によって生じる冠詞(例としてフランス語)や格の交替(例としてフィンランド語)などは否定の対称性の議論から外れることである(Miestamo 2013a)。したがって、各言語の実態をよく検討しておく必要があることは言うまでもない。

7　禁止との関わり

　禁止は否定に命令の要素が加わるため、標準否定の枠組みに厳密には入らない。しかし、多くの言語で標準否定の構造と関係が深いこともあるので、ここでは少し言及しておきたい。主として問題としたいのは、標準否定と禁止の表現が異なるストラテジーをとるか否かという点である。

　例えば、よく知られるように、英語の場合は、Don't (= Do not)を動詞の不定形の前に置いて禁止を表す。これは現在時制の標準否定と同じ形式である。[40] しかし、実は多くの言語で類似の現象があると推測されるが[41]、(12)のように少なくとも日本語の場合はレジスターによる表現ストラテジーの選択に幅が生じる。やや問題があるのだが、敬意を含まない禁止(12a)は標準否定と異なるストラテジーをとると考えてよい。

(12)	命令	禁止／ 否定命令
a.	走れ！	走るな！[42]
b.	(はい、)走る！／ 走って！	(ここでは)走らない！ （子供に向かって）
c.	走ってください。	走らないでください！

---

[39] このほか、対称否定のみを用いる言語が 114 言語、非対称否定のみを用いる言語が 53 言語ということである (WALS #113A; Miestamo 2013a)。
[40] 例としては、**Don't** go there! 「そこに行くな!」(禁止)と I **don't** go there. 「私はそこに行かない」(標準否定)など。ただし、**Never** give up! 「諦めるな!」のような否定副詞の取り扱いも要検討である。
[41] 例えば陳・杜 (2020)によれば、漢語成都方言では相手に対して、発話者自身からの行動要求が強い場合と弱い場合とで複数の禁止表現が使い分けられる。
[42] 禁止の終助詞「な」が後続可能な動詞には強い制限がある。佐藤(2013)によると、①動作性を表す、②命令文の相手自らが引き起こす側面を有する動作・事態を表す、③命令文の相手の努力で動作・事態の実現を回避できる(と話者が想定している)の全てを満たす、としている。

日本語では命令者と被命令者との関係性によって、時に異なる表現形式を採用する。[43](12a)は非常に直接的な表現であり、被命令者が命令者に対して相当程度目下の関係である場合に用いられる。これは標準否定の「走ら**ない**」とは異なる構造である。

　ただ、(12b)にみるように、被命令者が(特に命令者自身の)子供である場合や、(12c)のように丁寧な表現を用いる場合は、標準否定と構造を共有する点は注意を要する。標準否定との関係で考えれば、こちらの方が興味深いと見ることもできよう。

　敬意を除いて考えれば、ほかのアジアの諸言語においても日本語と同様、禁止と標準否定を形式的に分ける場合がよく見られる。例えば、アイヌ語[44]においては標準否定には somo が用いられる一方で、禁止には iteki が用いられる(Tamura 2000: 246-247)。東南アジア大陸部の例を挙げれば、以下の表 3 のように整理されるが、標準否定と禁止において異なる形式を採用している場合が多い。[45]

表 3: 東南アジア大陸部諸言語と漢語の否定辞と禁止辞

	タイ語	ラオ語	ベトナム語	クメール語	漢語
否定辞	mây	bɔ̄:	không	muun/ ʔɔt	bù
禁止辞	yàa	yā:	đừng/ chớ	kom	bié, búyào

---

[43] 日本語動詞の終止形による命令については尾上(1979[2001])により詳しい整理と分析がある。

[44] 本稿ではアイヌ語の記述について Tamura (2000)を参照したが、類型論的な観点から標準否定・スコープ・非標準否定を含んだ全体的なアイヌ語の否定に関してはヌルミ (2023)を参照されたい。

[45] 実際に van der Auwera and Lejeune (2005)では 495 言語をサンプルに否定辞と命令との関係を分析し、4 つのタイプに分類するとしている(Miestamo 2007)。これについては WALS #71(van der Auwera and Lejuene with Goussev (2013))として改訂されている(496 言語が対象)。(i) 2 人称単数に対する命令形式と(直接法)陳述文の否定辞が共起するタイプ、(ii) 2 人称単数に対する命令形式と(直接法)陳述文では見られない否定辞が共起するタイプ、(iii) 2 人称単数に対する命令とは異なる形式と(直接法)陳述文の否定辞が共起するタイプ、(iv) 2 人称単数に対する命令とは異なる形式と(直接法)陳述文では見られない否定辞が共起するタイプである。WALS #71 では(i)が 113 言語、(ii)が 182 言語、(iii)が 55 言語、(iv)が 146 言語で、(iii)のタイプが少ない。WALS #71 で述べられるように、極東アジア・東南アジアでは(ii)が最もよく用いられている。上述の東南アジア諸言語の例やアイヌ語の例はまさにこの(ii)のタイプであると位置付けられる。van der Auwera and Krasnoukhova (2020)も参照されたい。

　なお、Miestamo (2017: 418)でも禁止表現は全体的には標準否定と異なるストラテジーを採る傾向にあるとまとめている。また WALS #71 では日本語の禁止は(ii)のタイプであると考えているようだが、(12a)は(iv)のタイプに入ると考えられる。日本語は「*走れな」の形式は容認されない。

([データ出典] タイ語: 三上 2002, ラオ語: Kerr 1992, ベトナム語: 清水 2011, クメール語: 坂本 1989, 漢語: Yip and Rimmington 2011)

筆者の専攻するチベット・ビルマ諸語については Matisoff (2003)などでも議論されるように、祖語の段階において標準否定辞 *ma(ŋ)とは別に、*ta/ *da を再建することが一般的である。[46]ただし、現代の諸言語においてはアムド・チベット語などのように禁止においても標準否定と同じ*ma 由来の否定辞を用いることもある(海老原 2013)。

8　疑問との関係

疑問文が否定的な「意図」を表現することがあるが、これは修辞疑問文(rhetorical question)の一種で、「反語文」などと呼ばれ、日本語でもよく知られている[47]。一方で、否定辞が疑問文を表すのに用いられることがあり、アジア諸語ではよく見られる(刘 2005, Liu 2016 などを参照)。

例えば、ベトナム語の真偽疑問文はよく知られるように、文末に否定辞の không を用いて構成する。以下、清水(2011)より例を引用しておこう。

(13)　Tôi　**không**　uống　rượu.
　　　私　NEG　飲む　酒
　　　「私は酒を飲みません。」(清水 2011: 42) [グロス・強調は筆者]

(14)　Anh　có　uống　bia　**không**　ạ?
　　　あなた　ある　飲む　ビール　NEG　SFP
　　　「ビールを飲みますか。」(清水 2011: 42) [グロス・強調は筆者]

---

[46] チベット・ビルマ諸語の否定命令と禁止については Hayashi (2022, in preparation)も参照されたい。

[47] 「こんなに山盛りのご飯を食べておきながら、まだ何を食べるというの?」などのように形式的には疑問文でありながら、否定的な意図を表す文のことを指す。このような修辞疑問の研究は理論研究を含めて多数ある(稲田・今西 2016 ほか)。本稿は標準否定を中心に取り扱っているため、これ以上は立ち入らない。

(13)は否定文、(14)は疑問文である。(14)は否定辞を文末に置くことで疑問を表示している。これについては中国語の諸方言にも類似の現象を見ることができる(朱 1985ほか多数)。漢語北方方言の例を范 (1982)から挙げておこう(Wiedenhof 1993: 114-115 の説明も参照されたい)。

(15)　　a.　你买不买?　　b.　你买不?　　c.　你买吗?
　　　　[你=2SG; 买=買う; 不=NEG, 吗=Q] (范 1982 [2011: 490], グロスは筆者)

　(15)はいずれも大意としては「あなたは買いますか?」という疑問文である。問題は(15b)に見るように、否定辞が文末に置かれると、疑問文の解釈を生む。このように否定辞が文末に置かれ、真偽疑問を表示する現象は太田(1958)によれば、古代から漢語ではよく見られたようである。[48]

　以上のような否定辞が文末に現れて真偽疑問文を構成する場合、その構造上、形態的に孤立性の高い言語に多い傾向があろうが、地域特徴や他の類型的特徴との相関関係についてはより詳細な分析が必要となろう。[49]

9　おわりに

　本稿は本論集の特集テーマである「否定」現象の総説として、類型論的な観点から各言語における記述ポイントの整理を行なった。上述の通り、すでに類型論においてはMiestamo (2005, 2007, 2013a, 2013b, 2017)やHorn (ed.) (2011)などをはじめ、多くの研究者の知見が積み重なっている。本稿は紙幅の都合などもあり、扱ったテーマも限定的で、かつ、あらゆる側面に対する完全で十分な紹介となっていない。よって、屋上屋を重ねている可能性もある。ここでは、新知見の提示というよりも、先行する類型論的研究、並びに WALS のデータ・分析やアジア諸語の記述言語学の成果を部分的に援用しながら、今後の否定現象の類型的特徴の分析や本論集の目指す各言語

---

[48]　太田 (1958: 362)によれば、(16c)のような「吗 (嗎)」の文字が現れるようになったのは清代以降とのことである。

[49]　なお、チベット・ビルマ諸語の類似の現象については Hayashi (2022, in preparation)も参照のこと。

の記述における要点を得るための土台として、再整理と紹介を試みたまでにすぎない。

　本稿では標準否定に焦点を当てながら、関連現象の紹介と整理を行った。他の先行する類型論的研究が進めているように、今後は周辺的な言語事実をさらに取り込み、他の数多くの言語特徴との相関関係を含めたより包括的な分析を行うことで、新たな類型的特徴の発見につながることが期待される。[50]

言語データのソース(日本語以外のアジアの諸言語)

アイヌ語: Tamura (2000), 漢語: 范 (1982), Yip and Rimmington (2011)および中国語母語話者の直談, クメール語: 坂本 (1989), コプ語: 姜 (2022), タイ語: 三上 (2002), 朝鮮語: 黒島 (2018)および小学館・金星出版社 (1993), ビルマ語: 加藤 (2015), ベトナム語: 清水 (2011), ラオ語: Kerr (1992)

略号一覧

ADN: 連体形, ASP: アスペクト, DECL: 陳述文標識, IRR: 非現実相, MOD: モーダル, NCOP: 否定コピュラ, NEG: 否定, NML: 名詞化標識, NOM: 主格, P: 人称, PAST: 過去, Q: 疑問, REAL: 現実相, SBRD: 従属節標識, SFP: 文末助詞, SG: 単数, TOP: 話題

参考文献

Chappell, Hilary and Alan Peyraube. (2016) A Typological Study of Negation in Sinitic Languages: Synchronic and Diachronic Views. In Pang-hsin Ting, Samuel Hung-nin Cheung, Sze-Wing Tang and Andy Chin (eds.), *New Horizons in the Study of Chinese: Dialectology, Grammar and Philology.* pp. 483–534. Hong Kong: T.T.

---

[50] 本稿および本論集の方針としては大まかなテーマ設定のもとで、各言語における否定、とりわけ標準否定に関する記述を進めることとした。Miestamo (2019)のようなアンケートも標準否定を超えたより広い範囲の類型論的な記述を進める際には有効であると考えられる。また本稿では今回朝鮮語(黒島 2018)以外では用いなかったが、日本語による否定構文を含む類型的なアンケート形式によるデータ収集については東京外国語大学語学研究所の編集による『語学研究所論集』第 23 号(2018 年)もあり、これを用いた類型論的分析も可能であると考えられる。合わせて参照されたい。

Ng. Chinese. Language Research Centre, Institute of Chinese Studies, The Chinese University of Hong Kong.

陈振宇・杜克华 (2020) 《西南官话成都方言的否定表达》陈振宇 盛益民 2020. 《汉语方言否定范畴研究》pp. 50-98. 上海：中西书局.

Croft, William. (1991) The Evolution of Negation. *Journal of Linguistics.* 27.1: 1-27.

Dahl, Östen. (1979) Typology of sentence negation. *Linguistics.* 17: 79–106.

Dahl, Östen. (2011) Typology of Negation. In Laurence Horn (ed.), *The Expression of Negation.* pp. 9-38. Berlin: de Gruyter.

De Haan, Ferdinand. (1997) *The Interaction of Modality and Negation: A Typological Study.* New York and London: Garland Publishing.

Dryer, Matthew S. (2008) Word Order in Tibeto-Burman Languages. *Linguistics of Tibeto-Burman Area.* 31.1: 1–83.

Dryer, Matthew S. (2013a) Order of Subject, Object and Verb. In: Dryer, Matthew S. & Haspelmath, Martin (eds.) *WALS Online* (v2020.3) [Data set]. Zenodo. https://doi.org/10.5281/zenodo.7385533 (Available online at http://wals.info/chapter/81, Accessed on 2023-10-01.)

Dryer, Matthew S. (2013b) Negative Morphemes. In: Dryer, Matthew S. & Haspelmath, Martin (eds.) WALS Online (v2020.3) [Data set]. Zenodo. https://doi.org/10.5281/zenodo.7385533 (Available online at http://wals.info/chapter/112, Accessed on 2023-11-21.)

Dryer, Matthew S. (2013c) Order of Negative Morpheme and Verb. In: Dryer, Matthew S. & Haspelmath, Martin (eds.) *WALS Online* (v2020.3) [Data set]. Zenodo. https://doi.org/10.5281/zenodo.7385533 (Available online at http://wals.info/chapter/143, Accessed on 2023-10-01.)

Dryer, Matthew S. (2013d) Position of Negative Morpheme With Respect to Subject, Object, and Verb. In: Dryer, Matthew S. & Haspelmath, Martin (eds.) *WALS Online* (v2020.3) [Data set]. Zenodo. https://doi.org/10.5281/zenodo.7385533 (Available online at http://wals.info/chapter/144, Accessed on 2023-11-21.)

Ebert, Karen H. (1997) *Camling (Chamling).* München: Lincom Europa.

江畑冬生 (2015)「サハ語における肯否の対称性と否定を含む派生」『北方言語研究』5: 5-13.

江畑冬生 (2023)「サハ語の否定」『言語の類型的特徴対照研究会論集 6』(本論集) 大阪: 日中言語文化出版社.

海老原志穂 (2013)「アムド・チベット語の文」澤田英夫 (編)『チベット＝ビルマ系言語の文法現象 2』pp. 423-453. 府中: 東京外国語大学アジア・アフリカ言語文化研究所.

范継淹 (1982)《是非问句的句法形式》《中国语文》1982 年第 6 期。/ 中国语文杂志社编《语法研究和探索(精选集)》pp. 489—501. 北京: 商务印书馆.

Gärtner, Uta. (2005) Is the Myanmar language really tenseless? In Justin Watkins (ed.), *Studies in Burmese Linguistics.* pp. 105-124. Canberra: Pacific Linguistics, The Australian National University.

龔柏榮 (2022)「日本語教育文法における「部分否定表現」の研究」(名古屋大学博士論文)

橋本萬太郎 (1978)『言語類型地理論』東京: 弘文堂.

Haspelmath, Martin. (2013) Negative Indefinite Pronouns and Predicate Negation. In: Dryer, Matthew S. & Haspelmath, Martin (eds.) *WALS Online* (v2020.3) [Data set]. Zenodo. https://doi.org/10.5281/zenodo.7385533 (Available online at http://wals.info/chapter/115, Accessed on 2023-11-21.)

Hayashi, Norihiko. (2022) Negation in the Sino-Tibetan Context. In Norihiko Hayashi and Takumi Ikeda (eds.), *Grammatical Phenomena in Sino-Tibetan Languages* 5: 1-39. Kyoto: Institute for Research in Humanities, Kyoto University.

Hayashi, Norihiko. (in preparation) Negation in Tibeto-Burman. In Kristine Hildebrandt, Yankee Modi, David Peterson and Hiroyuki Suzuki (eds.), *Oxford Guide to the Tibeto-Burman Languages*. Oxford University Press.

Hayashi, Norihiko and Takumi Ikeda (eds.) (2022) *Grammatical Phenomena in Sino-Tibetan Languages* 5. Kyoto: Institute for Research in Humanities, Kyoto University.

Horn, Laurence R. (1989) *A Natural History of Negation.* Chicago: University of Chicago Press.

Horn, Laurence R. (2011) Multiple negation in English and other languages. In Laurence R. Horn (ed.), *The Expression of Negation.* pp. 111-148.Walter de Gruyter.

Horn, Laurence R. (ed.) (2011) *The Expression of Negation.* Walter de Gruyter.

黄海萍 (2023)「チワン語の否定表現」『言語の類型的特徴対照研究会論集 6』(本論集) 大阪: 日中言語文化出版社.

稲田俊明・今西典子 (2016)「日英語の修辞疑問をめぐって−言語の普遍性と多様性の探索(1)」『長崎大学言語教育研究センター論集』4: 1-23.

ジェイ、べヘナム (ジャヘドザデ) (2023)「ペルシア語の否定形式について」『言語の類型的特徴対照研究会論集 6』(本論集) 大阪: 日中言語文化出版社.

Jespersen, Otto. (1917) *Negation in English and Other Languages.* København: Høst.

姜静 (2022) 《葛颇彝语形态句法研究》北京: 中国社会科学出版社.

Joshi, Shrikant. (2020) Affixal Negation. In Viviane Déprez & M. Teresa Espinal (eds.), *The Oxford Handbook of Negation.* 75-88. Oxford: Oxford University Press.

Kahrel, Peter and René van den Berg. (1994) *Typological Studies in Negation.* Amsterdam: John Benjamins.

角道正佳 (2023)「モンゴル諸語の動詞否定形式」『言語の類型的特徴対照研究会論集 6』(本論集) 大阪: 日中言語文化出版社.

片岡喜代子 (2006)『日本語否定文の構造−かき混ぜ文と否定呼応表現』東京: くろしお出版.

加藤昌彦 (2015)『ニューエクスプレス ビルマ語』東京: 白水社.

加藤泰彦・吉村あき子・今仁生美 (編) (2010)『否定と言語理論』東京: 開拓社.

風間伸次郎 (2021)「アルタイ型言語におけるモダリティの意味領域地図について−「ナル」表現の文法化にも注目して−」『東京外国語大学論集』102: 31-48./風間伸次郎 (2022)『日本語の類型』(第 19 章) pp. 537-557. 東京: 三省堂. [所収]

Kerr, Allen D. (1992) *Lao-English Dictionary.* Bangkok: White Lotus.

Kiryu, Kazuyuki (2022) Negation patterns in Meche. In Norihiko Hayashi and Takumi Ikeda (eds.), *Grammatical Phenomena in Sino-Tibetan languages 5*: 261-276. Kyoto: Institute for Research in Humanities, Kyoto University.

Kishimoto, Hideki. (2018) Projection of Negative Scope in Japanese. 『言語研究』153: 5-39.

Konnerth, Linda. (2020) *A Grammar of Karbi.* Berlin: de Gruyter.

黒島規史 (2018)「朝鮮語の否定、形容詞と連体修飾複文」『東京外国語大学「語学研究所論集」』23: 219-227.

Larrivée, Pierre. (2011) Is there a Jespersen cycle? In Pierre Larrivée and Richard P. Ingham (eds.), *The Evolution of Negation: Beyond the Jespersen Cycle.* pp. 1-22. Berlin: de Gruyter.

刘丹青 (2005) 《汉语否定词形态句法类型的方言比较》『中国語学』252: 1-22.

Liu, Hongyong. (2016) The emergence of reduplicative polar interrogatives. *Language Sciences* 54: 26-42.

Lyu, Chen. (2023) How negation influences word order in languages?: Automatic classification of word order preference in positive and negative transitive clauses. (Master Thesis at Uppsala University, Sweden)

益岡隆志・田窪行則 (1992)『基礎日本語文法―改訂版―』東京: くろしお出版.

Matisoff, James A. (2003) *Handbook of Proto-Tibeto-Burman.* Berkeley: University of California Press.

Miestamo, Matti. (2005) *Standard Negation: The Negation of Verbal Declarative Main Clauses in a Typological Perspective.* Berlin and New York: Mouton de Gruyter.

Miestamo, Matti. (2007) Negation—An Overview of Typological Research. *Language and Linguistics Compass.* 1/5: 552–570.

Miestamo, Matti. (2013a) Symmetric and Asymmetric Standard Negation. In: Dryer, Matthew S. & Haspelmath, Martin (eds.) *WALS Online* (v2020.3) [Data set]. Zenodo. https://doi.org/10.5281/zenodo.7385533 (Available online at http://wals.info/chapter/113, Accessed on 2023-10-01.)

Miestamo, Matti. (2013b) Subtypes of Asymmetric Standard Negation. In: Dryer, Matthew S. & Haspelmath, Martin (eds.) *WALS Online* (v2020.3) [Data set]. Zenodo. https://doi.org/10.5281/zenodo.7385533 (Available online at http://wals.info/chapter/114, Accessed on 2023-10-01.)

Miestamo, Matti. (2017) Negation. In Alexandra Y. Aikhenvald and R.M.W Dixon (eds.), *The Cambridge Handbook of Linguistic Typology.* pp. 405–439. Cambridge: Cambridge University Press.

Miestamo, Matti (2019) Questionnaire for describing the negation system of a language. [Revised in February 2019 with Ljuba Veselinova] Available online at <http://tulquest.huma-num.fr/fr/node/134> (Accessed 2023-10-01)

三上直光 (2002)『タイ語の基礎』東京: 白水社

宮岸哲也 (2023)「シンハラ語の否定」『言語の類型的特徴対照研究会論集 6』(本論集) 大阪: 日中言語文化出版社

長崎郁 (2015)「コリマ・ユカギール語における否定と他動性」『北方言語研究』5: 15-24.

永山ゆかり (2015)「アリュートル語における肯否の非対称性」『北方言語研究』5: 25-37.

成田静香・藤野真子・西村正男・田禾・韓燕麗・大東和重 (2013)『いつでも中国語 I-随时随地学汉语』東京: 朝日出版社

西岡美樹 (2023)「現代ヒンディー語の否定表現について」『言語の類型的特徴対照研究会論集 6』(本論集) 大阪: 日中言語文化出版社

ヌルミ, ユッシ (2023)「アイヌ語の否定表現: 類型論的観点から」『アイヌ・先住民研究』3: 83-115.

小野智香子 (2015)「イテリメン語の否定の構造」『北方言語研究』5: 39-53.

尾上圭介 (1979)「そこにすわる! −表現の構造と文法」『言語』8 巻 5 号. / 尾上圭介 (2001)『文法と意味 I』pp. 99-107. 東京: くろしお出版. [所収]

太田辰夫 (1958)『中国語歴史文法』東京: 江南書院.

Payne, John. (1985) Negation. In Timothy Shopen (ed.), *Language typology and syntactic description. Vol. 1: Clause Structure.* pp. 197–242. Cambridge: Cambridge University Press.

Pearce, Elizabeth. (2020) Negation and Constituent Ordering: Case studies. In Viviane Déprez & M. Teresa Espinal (eds.), *The Oxford Handbook of Negation.* 152-176. Oxford: Oxford University Press.

Poletto, Cecilia. (2020) The Possible Positioning of Negation. In Viviane Déprez & M. Teresa Espinal (eds.), *The Oxford Handbook of Negation*. 135-151. Oxford: Oxford University Press.

Post, Mark. (2015) Sino-Tibetan Negation and the Case of Galo: Explaining a Distributional Oddity in Diachronic Terms. *Language and Linguistics*. 16 (3): 431-464.

坂本恭章 (1989)『カンボジア語入門』東京: 大学書林.

佐藤友哉 (2013)「否定命令文の基本的機能」『国文研究』58: 19—31. 熊本県立大学日本語日本文学会.

清水政明 (2011)『世界の言語シリーズ4 ベトナム語』吹田: 大阪大学出版会.

小学館・金星出版社 (編) (1993)『朝鮮語辞典』東京: 小学館.

Tamura, Suzuko. (2000) *The Ainu Language*. Tokyo: Sanseido.

東京外国語大学語学研究所(編) (2018)『語学研究所論集』第23号 <特集「否定、形容詞、連体修飾構文> 府中: 東京外国語大学語学研究所. (http://www.tufs.ac.jp/common/fs/ilr/contents/ronshuu.html) [2023年11月12日最終アクセス]

van der Auwera, Johan. (2009) The Jespersen Cycle. In Elly van Gelderen (ed.), *Cyclical Changes*. pp. 35-71. Amsterdam/ Philadelphia: John Benjamins.

van der Auwera, Johan. (2011) On the diachrony of negation. In Laurence R. Horn (ed.), *The Expression of Negation*. pp. 73-109. Berlin: de Gruyter.

van der Auwera, Johan and Olga Krasnoukhova. (2020) The typology of negation. In Viviane Déprez & M. Teresa Espinal (eds.), *The Oxford Handbook of Negation*. 91-116. Oxford: Oxford University Press.

van der Auwera, Johan and Ludo Lejeune. (2005) The Prohibitive. In: Dryer, Matthew S. & Haspelmath, Martin (eds.) *WALS Online* [Data set]. Zenodo. [Revised version: van der Auwera and Lejeune with Goussev (2013)]

van der Auwera, Johan and Ludo Lejeune with Valentin Goussev. (2013) The Prohibitive. In: Dryer, Matthew S. & Haspelmath, Martin (eds.) *WALS Online* (v2020.3) [Data set]. Zenodo. https://doi.org/10.5281/zenodo.7385533 (Available online at http://wals.info/chapter/71, Accessed on 2023-09-22.)

van der Auwera, Johan and Frens Vossen (2017) Kiranti Double Negation: A Copula Conjecture. *Linguistics of Tibeto-Burman Area.* 40.1: 40-58.

Wiedenhof, Jeroen. (1993) Standard Mandarin. In Peter Kahrel and Rene van den Berg (eds.), *Typological Studies in Negation.* pp. 93-124. Amsterdam/ Philadelphia: John Benjamins.

Yip, Po-ching and Don Rimmington. (2016) *Chinese.* (2nd Edition) London: Routledge.

朱德熙 (1985) 《汉语方言里的两种反复问句》《中国语文》1985 年第 1 期: 10-20.

〈インターネット資料〉

Grambank (Feature GB137, 138; Patrons = Hannah J. Haynie)
https://grambank.clld.org/ [2023 年 8 月 5 日　最終アクセス]
World Atlas of Linguistic Structure (WALS)
https://wals.info/ [2023 年 10 月 1 日　最終アクセス]

サハ語の否定 *
Negation in Sakha (Yakut)

江畑　冬生（新潟大学）

Fuyuki EBATA (Niigata University)

要　　旨

　サハ語の文は，大きく動詞述語文と名詞述語文に分かれる．動詞述語文の否定は，大半の場合に動詞語幹に否定接辞を付加することで形成され，対応の肯定文と symmetrical な構造を示す．動詞述語文で否定語 *suox*「ない」あるいは *ilik*「まだ」を含む分析的形式が用いられるのは，直説法未来などの一部のケースに限られている．名詞述語文の否定には 3 種類がある．存在否定文では，*suox*「ない」を述語として用いる．コピュラ否定文では，動詞 *buol*「なる」の結果過去形を述語とする分析的形式が現れる．所有否定文では，欠如を表す句を述語として用いる．

キーワード：チュルク語族，否定表現，否定接辞，分析的形式

1　はじめに

　本論文では，サハ語の Standard Negation を中心とする否定表現について，類型論的観点から記述する．

　サハ語はチュルク語族に属する言語であり，ロシア連邦サハ共和国を中心に約 45 万人の話者を有する．膠着的形態法を有する接尾辞型の言語であり，大半の接尾辞は音韻的条件（主として母音調和と頭子音交替）により 8 種から 16 種の異形態を持つ（ただし本稿では，接尾辞の異形態を捨象し代表形の

---

* 本研究は，科研費（課題番号 20H01258, 21H04346, 22H00657）および東京外国語大学アジア・アフリカ言語文化研究所の共同利用・共同研究課題「チュルク諸語における情報構造と知識管理 ― 音韻・形態統語・意味のインターフェイス―」の支援を受けたものである．出典が明記されていない例文は，筆者によるフィールドワークまたは筆者の作成したコーパス資料からの例である．グロス付与の詳細ルールに関しては，江畑・Akmatalieva (2022: 8-10) の方針に従うものとする．

みを示している．形態音韻交替の詳細については江畑 (2020) の第 2 章も参照されたい）．統語的には主要部後置型で，基本語順は SOV 型である．

　サハ語の否定を扱った先行研究として，江畑 (2016) および江畑 (2022) の第 11 章がある．否定表現の個々の具体的形式は，Ubrjatova (1972) に詳しく挙げられている．

2　否定表現の概要

　サハ語の文には，大きく分けて動詞述語文と名詞述語文がある．サハ語の形容詞は名詞的な形態統語的特徴を持つことから，名詞述語文には形容詞を述語とするものも含む．これに関連して，*baar*「ある」および *suox*「ない」も名詞的特徴を持つ．

　動詞述語文の否定は，大半の場合には動詞語幹に否定接辞を付加するが，一部では否定語を後置する分析的形式も用いられる．名詞述語文の否定には，存在否定文，コピュラ否定文，所有否定文の 3 種類がある．

　いわゆる Standard Negation について，まず直説法近過去を例として示す．(1)と(2)から分かるように，肯定文と否定文の違いは否定接辞の有無のみにあり，格枠組みや述語形式には特段の変更が見られない．

(1)　　*min*　　*surug-u*　　*aax-tï-m*
　　　1SG　　手紙-ACC　　読む-N.PST-1SG
　　「私は手紙を読んだ」

(2)　　*min*　　*surug-u*　　*aax-**pa**-tï-m*
　　　1SG　　手紙-ACC　　読む-**NEG**-N.PST-1SG
　　「私は手紙を読まなかった」

　直説法現在でも，動詞語尾が対応の否定形式に変わるのみで否定を表す．ただしこの時の否定接辞は，時制を表す動詞語尾と形態的に融合している．

(3)　　*min*　　*kiine-ʁe*　　*bar-a-bïn*

　　　1SG　　映画-DAT　　行く-PRS-1SG

　「私は映画に行く」

(4)　　*min*　　*kiine-ʁe*　　*bar-**bap**-pïn*

　　　1SG　　映画-DAT　　行く-**NEG**-1SG

　「私は映画に行かない」

　このようにサハ語の Standard Negation は，基本的には symmetrical な構造を示す．(2)のように否定接辞が現れて動詞語尾と主語標示が続く場合もあれば，(4)のように否定接辞と動詞語尾が形態的に融合していることもある．

　禁止は，命令法の否定に対応する．動詞語幹をそのままの形で用いると，2SG に対する命令を表す．命令法には現在時制と未来時制があるが，いずれの場合にも肯定の形式に否定接辞を付加すると禁止となる（表1）．

[表1]　2人称命令法の形式（*kel*「来る」を例とする）

	肯定	否定
2SG 現在	kel	kel-**ime**
2PL 現在	kel-iŋ	kel-**ime**-ŋ
2SG 未来	kel-eer	kel-**im**-eer
2PL 未来	kel-eer-iŋ	kel-**im**-eer-iŋ

3　動詞述語文における否定表現：　否定接辞を付加する場合

　動詞述語文における否定表現では，大半の場合には動詞語幹に否定接辞が付加される．否定接辞には，-be, -(i)m, -(i)me の3種類がある．これらの形式の選択は音韻的に条件づけられてはいないが，動詞語尾により決まった形式が出現する．従ってこれらは異形態の関係にあるとみなせる．3種類のうち頻出するのは-be および-(i)m であり，-(i)me は 2SG または 2PL の命令法現在のみに現れる．この他に，否定接辞が後続の動詞語尾と融合しているケースが

ある．いずれにしても，動詞屈折形式の肯定には対応の否定形式が存在する点で肯否の対称性が見られる（表2）．

[表2] 否定接辞の分布（bar「行く」を例とする）

		肯定	否定
-be	1SG 近過去	bar-dï-m	bar-**ba**-tï-m
	2SG 条件法	bar-dar-gïn	bar-**ba**-tar-gïn
	3SG 命令法現在	bar-dïn	bar-**ba**-tïn
	形動詞中立	bar-dax	bar-**ba**-tax
-(i)m	2SG 命令法未来	bar-aar	bar-**ïm**-aar
	1SG 命令法現在	bar-ïïm	bar-**ïm**-ïïm
	2SG 危惧法	bar-aaja-ʁïn	bar-**ïm**-aaja-ʁïn
	2SG 確信法	bar-ïïhï-gïn	bar-**ïm**-ïïhï-gïn
	形動詞未来	bar-ïax	bar-**ïm**-ïax
	目的副動詞	bar-aarï	bar-**ïm**-aarï
	即座副動詞	bar-aat	bar-**ïm**-aat
-(i)me	2SG 命令法現在	bar	bar-**ïma**
	2SG 命令法未来	bar-ïŋ	bar-**ïma**-ŋ
融合	形動詞現在	bar-ar	bar-**bat**
	形動詞過去	bar-bït	bar-**batax**
	同時副動詞	bar-a	bar-**ïmïna**
	継起副動詞	bar-an	bar-**bakka**

直説法現在は形動詞現在＋主語標示による

直説法遠過去および結果過去は形動詞過去＋主語標示による

4　動詞述語文における否定表現：　否定語を用いる場合

　動詞述語文に用いられる否定語は，*suox*「ない」または*ilik*「まだ」である．否定語が現れるのは，次の4つの場合に限られている．

　第1に，直説法未来がある．直説法未来の肯定とは異なり，否定では*suoʁa*

（*suox*「ない」に 3SG 所有接辞が付加された形式）を後置する分析的形式が現れる[1].

(5)　*bügün*　　*eyiexe*　　*kel-ie-m*
　　　今日　　　2SG:DAT　　来る-FUT-1SG
　　「私は今日，君の所に行く」

(6)　*bügün*　　*eyiexe*　　*kel-ie-m*　　　***suoʁ-a***
　　　今日　　　2SG:DAT　　来る-FUT-1SG　　ない-POSS.3SG
　　「私は今日，君の所には行かない」

　第2に，将然アスペクトを表す述語形式がある．将然形式は，同時副動詞形に *ilik*「まだ」が後続したものである．この *ilik*「まだ」は，名詞述語文と同様にコピュラ接辞が付加されることからも分かるように名詞的特徴を持つ（ただし単独で名詞語幹として用いられることはない）．対応する肯定表現を持たない点でも，将然形式は特異性を有すると言える．

(7)　*on-ton*　　*ila*　　*ol*　　*kihi-ni*　　*kör-ö*　　***ilik-pin***
　　　あれ-ABL　以来　　あの　　人-ACC　　見る-SML　まだ-COP.1SG
　　「私はそれ以来，あの人をまだ見ていない」

　第3に，習慣アスペクトを表す述語形式がある．習慣アスペクトは，行為者名詞派生接辞-(ee)čči を述語として用いるものである[2]．従って述語には，名詞述語文と同様にコピュラ接辞が付加される．

---

[1] 同じく未来時制であっても，命令法未来あるいは形動詞未来（連体節述語または名詞節述語として用いられる動詞屈折形式）の場合には否定接辞-(i)m を用いる．表2 も参照されたい．

[2] 行為者名詞派生接辞-(ee)čči が単に名詞を派生する例には，*aaʁ-aaččï*「読者」（< *aax*「読む」），*üören-eeččï*「学生」（< *üören*「学ぶ」），*kïttaa-ččï*「参加者」（< *kïttaa*「参加する」）などがある．

(8)　　*doydu-bar*　　　　*bïraap-pï-naan*　　　　*kus-taa-čči-bït*
　　　　国-POSS.1SG:DAT　　弟-POSS.1SG-COM　　　鴨-VBLZ-ACTOR-COP.1PL
　　　　「私は故郷では弟とよく鴨狩りをします」

　習慣アスペクトの否定では，元の述語に主語の人称・数に対応する所有接
辞が付加されたものに *suox*「ない」が後続する[3].

(9)　　*kus-taa-čči-m*　　　　　　　***suox***
　　　　鴨-VBLZ-ACTOR-POSS.1SG　　ない
　　　　「私はあまり鴨狩りをしません」

　第4に，義務モダリティを表す述語形式がある．義務モダリティは，形動
詞未来に proprietive 接辞が付加したものである．この時の述語にも，名詞述
語文と同様にコピュラ接辞が付加される．

(10)　　*onno*　　　　*bar-ïax-taax-xïn*
　　　　そこに　　　　行く-FUT-PROP-COP.2SG
　　　　「君はそこに行かなければならない」

　義務モダリティの否定では，*suox*「ない」に proprietive 接辞が付加したもの
が述語となる[4].

(11)　　*onno*　　　　*bar-ïa*　　　***suox*-*taax-xïn***
　　　　そこに　　　　行く-FUT　　　ない-PROP-COP.2SG
　　　　「君はそこに行ってはならない」

---

[3] Ubrjatova (1972: 592) では，習慣アスペクトの否定における主語標示として元の述語に所有接辞
を付加した形式ではなく，*suox*「ない」にコピュラ接辞を付加した形式が示されている．ただし
筆者のデータには，このタイプの主語標示は見つからなかった．
[4] proprietive 接辞は，名詞語幹に付加し新たな名詞語幹を派生するものであるが，義務モダリティ
を含め極めて幅広い用法を持つ．詳しくは江畑 (2012) を参照されたい．

以上のように，動詞述語文の否定表現には否定語を含むものが4つある．ただし直説法未来を除けば，対応する肯定表現を欠くか，あるいは対応する肯定表現がそもそも厳密には名詞述語文である（コピュラ接辞を必要とする）．従ってサハ語では否定接辞の汎用性が高く，動詞述語文の否定は否定接辞によって表わされるのが一般的であると言える．

5　名詞述語文における否定表現

名詞述語文では，否定語が用いられる．否定文の種類により，どの否定語が現れるのかが異なる．本論文では名詞述語文における否定を，存在否定文・コピュラ否定文・所有否定文の3種類に分けることにする．

存在否定文は，*suox*「ない」を述語とするものである（*baar*「ある」を述語とする存在文の否定にあたる）．述語には，主語の人称・数に対応するコピュラ接辞が付加される．

(12)　*min*　　*žie-ʁe*　　***suox*-pun**

　　　1SG　　家-DAT　　ない-COP.1SG

　　「私は家にいない」

コピュラ否定文は，*buolbatax*（動詞 *buol*「なる」の直説法結果過去の否定）を述語とするものである．この述語は形式的には過去を表すものであるが，意味的にはあくまで現在を表す．

(13)　*kïržaʁas*　　*žon*　　***buol-batax*-pït**

　　　老いた　　　人々　　なる-NEG:R.PST-1PL

　　「私たちは老人ではない」

所有否定文は，欠如を表す句を述語とするものである．欠如を表す句は，意味的には proprietive 接辞の否定に相当する．proprietive 接辞が付加された名詞語幹が述語として現れると，所有を表す．述語には，主語の人称・数に対応するコピュラ接辞が付加される．

35

(14)　*ikki*　　　　*uol-laax-pït*
　　　2　　　　　　息子-PROP-COP.1PL
　　「私たちには 2 人の息子がいる」

　欠如を表わす句は，名詞語幹に欠如接辞が付加されたものに *suox*「ない」が後続することで形成される．述語には，主語の人称・数に対応するコピュラ接辞が付加される．

(15)　*xarči-ta*　　**suox-pun**
　　　金-ABE　　　ない-COP.1SG
　　「私にはお金がない」

　第 2 節で述べたように，サハ語の形容詞は名詞的な形態統語的特徴を持つことから，名詞述語文には形容詞を述語とするものも含む．ただし形容詞を述語とする文を否定する場合には，コピュラ否定文と所有否定文のどちらも現れうる．

(16)　*bïraat-ïm*　　*keemey-inen*　　*olus*　　　*ulaxan*　　**buol-batax**
　　　弟-POSS.1SG　　物差し-INST　　とても　　大きい　　なる-NEG:R.PST:3SG
　　「私の弟は，身長的にはそこまで大きくない」

(17)　*sibiiňňe-bit*　　*soččo*　　*ulaxan-a*　　**suox**
　　　豚-POSS.1PL　　あまり　　大きい-ABE　　ない
　　「私たちの豚は，あまり大きくない」

　コピュラ否定文と所有否定文は，意味的には同様であるが，統語的な特徴に違いが現れる．コピュラ否定文は常に主節述語としてのみ現れるが，一方の所有否定文は連体節述語にもなれるし，副詞派生接辞を付加することによって副詞句として用いることもできる．

(18)　　*tuox =da*　　*üčügey-e*　　**suox**　　*üle*

　　　　何 =も　　　良い-ABE　　ない　　仕事

　　「何も良い所のない仕事」

(19)　　*ülehit-ter*　　*biligin*　　*kuhaʁan-a*　　**suox**-*tuk*　　　*olor-ol-lor*

　　　　労働者-PL　　今　　　悪い-ABE　　ない-ADVLZ　　住む-PRS-3PL

　　「労働者たちは現在，悪くない暮らしをしている」

6　否定が関わるその他の現象

　本節では否定が関わる現象として，全部否定，部分否定，補助動詞構文に
おける否定のスコープについて記述する．

　全部否定には，否定代名詞（疑問詞＋接語=*da*）を用いる．

(20)　　*xanna =da*　　*bar-**bap**-pïn*

　　　　どこ =CLT　　　行く-**NEG**-1SG

　　「私はどこにも行かない」

　数詞 *biir*「1」を用いることで，「1つも〜ない」を表す全部否定を表すこと
が可能である．

(21)　　*biir-i =da*　　*bul-**batax**-tara*

　　　　1-ACC =CLT　　見つける-**NEG**:PST-3PL

　　「彼(女)は1つも見つけなかった」

　部分否定には，埋め込み文が用いられる．従属節には形動詞を述語とする
名詞節が現れ，主節には *buolbatax* を述語とするコピュラ否定文が現れる．

(22) oʁo   barï-ta   bil-er   **buol-batax**
    子   全部-POSS.3SG   知る-PRS   なる-NEG:R.PST:3SG
    「子供たち皆が知っているわけではない」

　　補助動詞構文では，否定接辞を先行の本動詞に付加するか後続の補助動詞に付加するかにより，スコープに違いが現れる．本動詞に否定接辞が付加される場合には，動詞（およびその項）が表す意味内容のみが否定のスコープとなる．

(23) uulussa   aat-a   anïaxa dieri   ularïy-**bakka**   silž-ar
    通り   名-POSS.3SG   今:DAT   まで   変わる-NEG:SEQ   いる-PRS:3SG
    「通りの名称は現在まで変わらずにいる」

(24) ayaal   surug-u   aaʁ-**ïm**-aarï   gïn-na
    (人名)   手紙-ACC   読む-NEG-PURP   する-N.PST:3SG
    「アヤールは手紙を読まないようにした」

　　一方で補助動詞に否定接辞が付加される場合には，文全体が否定のスコープに入る．

(25) žoŋ-ŋut   kiïhïr-an   tur-**ba**-tï-lar =duo
    家族-POSS.2SG   怒る-SEQ   立つ-NEG-N.PST-3PL=Q
    「君の家族は怒っていなかった？」

(26) emtee-bit   kihi-biti-n   umn-an   kebis-**pep**-pit
    治療する-PST   人-1PL-ACC   忘れる-SEQ   AUX-NEG-1PL
    「私たちは，自分たちが治療した人を忘れてしまわない」

7　まとめ

　　本論文では，サハ語の否定について類型論的観点から記述した．動詞述語

文の否定は，大半の場合に動詞語幹に否定接辞を付加することで形成され，肯定文と symmetrical な構造を示す. 動詞述語文で否定接辞を用いず，代わりに否定語 *suox*「ない」あるいは *ilik*「まだ」を含む分析的形式が用いられるのは 4 つの場合に限られている. ただし対応する肯定表現が厳密な意味で動詞述語文と言えるのは，直説法未来の場合だけである. 従って動詞述語文では，否定接辞の汎用性が高く肯否が対称的である.

　名詞述語文（形容詞を述語とするものも含む）の否定には 3 種類がある. 存在否定文では，*suox*「ない」を述語として用いる. コピュラ否定文では，動詞 *buol*「なる」の結果過去形を述語とする分析的形式が現れる. 所有否定文では，欠如を表す句を述語として用いる. 形容詞を述語とする文を否定する場合には，コピュラ否定文と所有否定文のどちらも現れうる. ただしコピュラ否定文は，常に主節述語として用いられる.

略号

ABL: 奪格, ACC: 対格, AUX: 補助動詞, CLT: 接語, DAT: 与格, FUT: 未来, INST: 具格, NEG: 否定, N.PST: 近過去, PL: 複数, POSS: 所有接辞 , PROP: proprietive, PRS: 現在, PST: 遠過去, R.PST: 結果過去, SEQ: 継起副動詞, SG: 単数, SML: 同時副動詞

参考文献

Ubrjatova, E.I. (1972) Kratkij grammatičeskij očerk jakutskogo jazyka. P.A. Slepcov *Jakutsko-russkij slovar'*. Moskva: Izdatel'stvo sovetskaja ènciklopedija. 569-606.

江畑　冬生 (2012) 「サハ語の所有を表す接尾辞-LEEx」『北方言語研究』 第 2 号, 73-90.

江畑　冬生 (2015) 「サハ語における肯否の対称性と否定を含む派生」 『北方言語研究』 第 5 号, 5-13.

江畑　冬生 (2020) 『サハ語文法：統語的派生と言語類型論的特異性』 勉誠出版.

江畑 冬生 (2022) 『語学研究所論集調査票による例文集（サハ語）』 新潟大学人文学部・アジア連携研究センター.

江畑 冬生・Akmatalieva Jakshylyk (2022) 『サハ語・トゥバ語・キルギス語の文法対照』 新潟大学人文学部・アジア連携研究センター.

モンゴル諸語の動詞否定形式
Verbal Negative Expressions of Mongolic Languages

角道　正佳

Masayoshi KAKUDO

要　旨

　モンゴル諸語の多様性を示すために言語間及び言語内における実態、特に否定形式と動詞の形態（終止形、形動詞、副動詞）との共起関係に焦点を当てて概説した。禁止を表す前置型は通時的に変化なく保存されている。副動詞に前置する2つの否定形式はかつては副動詞によって選ばれていたが、主節の時制によって選ばれる方向に変化しつつある。否定を表す前置型を2つ持っている言語では1つは使用が減少し名詞存在否定型の後置型に移行しつつあり、オイラート語以外の中央語ではその変化が完成している。名詞属性否定型の後置型は言語によっては特定の形動詞に義務的あるいは随意的に接続する。

キーワード：前置型、後置型、共起関係、言語間差、言語内差、通時的変化

1. はじめに

　現代モンゴル諸語及び通時的な観点から動詞の否定形式について概説する。先行研究を補うため、文法記述だけに頼らず文脈のあるデータを参照する。言語間、言語内のバリエーションに基づき通時的にどういう変化が起こっているかも推定する。グロスを統一するのが困難なため場合によってはモンゴル文語形で代用する。2節で全体像について述べ、3節で対象言語及びその特徴について述べる。4節で先行研究について述べ、5節から具体的な内容を述べる。6節で言語内のバリエーションについて考察し、土族語互助方言では *ese* の使用が減り、後置型が使用される方向に移行している。またオイラート系の言語では非過去形動詞に後続する否定形式の使用に差があることを述べる。7節で従属節の副動詞に前置する否定形式が何によって選択されているかについて考察し、否定形式を副動詞が

選択している時代から主節の述語が選択している時代へと変化が起こっていることを主張する。8節で形動詞以外（終止形、副動詞）に後置型の否定形式が接続する諸言語の事例を挙げ、9節で類似した表現の使い分けが困難であることを述べる。10節はまとめである。

2．全体像

　モンゴル諸語における否定の形式は非常に豊富である。前置型と後置型がありモンゴル文語の形式で代表させると、まず前置型には主として禁止を表す *buu* と *bitügei* がある。どちらが使われるかは言語差があり、両方使われる言語もある。これらの形式は全てのモンゴル諸語で前置型を保存している。次に前置型として主として非過去形に用いられる *ülü* と主として過去形に用いられる *ese* がある。以上の2つのうちで大まかに言うと *ese* が使われなくなる方向に変化が起こっている。その結果 *ülü* のみを用いる言語（東部裕固語）や後置型 *ügei* を用いる言語がある。カルムイク語では *ese* が多用される。後置型は本来名詞の存在否定（〜がない）を表す *ügei* または名詞の属性否定（〜でない）を表す *busu* が用いられる。東部裕固語では動詞語幹＋非過去形動詞の否定には必ず *busu* が用いられる。ハルハ方言では部分否定には *busu* が用いられるが、必ずしもそうである必要はない。類似した2通りの表現形式がある場合の意味の違いについてはさらなる研究が必要である。

　前置型の否定は動詞より前に来るので、否定はテンス・アスペクトの前にくるけれども、後置型の否定は一般的には動詞語幹＋形動詞＋否定の順になる。したがってテンス・アスペクトが否定の前に現れる。ただし動詞語幹＋形動詞＋否定＋コピュラ＋終止形または形動詞の構造もあるため、この場合はテンス・アスペクト＋否定＋テンス・アスペクトの順になる[1]。

---

[1] キリル文字を梅谷式に従って置き換える。*a=a, б=b, в=v, г=g, д=d, e=je, jö, ё=jo, ж=ž, з=z, и=i, й=ĭ, к=k, л=l, м=m, н=n, o=o, ө=ö, п=p, p=r, c=s, m=t, y=u, ү=ü, ф=f, x=x, ц=c, ч=č, ш=š, щ=šč, ъ='', ы=y, ь=', э=e, ю=ju, jü, я=ja*。
ハルハで否定形式の前後にテンス・アスペクトが現れるのは以下のような場合である。

動詞語幹-*aa-güj*		*baj-*	{-*na*/-*gaa*}
	IPFV.VN-EX.NEG	COP	PRS/IPFV.VN
動詞語幹-*x-güi*		*baj-*	{-*x-aa/-san*/-*gaa*}

3. 対象言語

　モンゴル国の標準語（ハルハ方言）、内蒙古の標準語（チャハル方言）、ロシアのブリヤート語やカルムイク語、中国のオイラート系の言語は中央言語と見なすことができる。一方、独自の発展を遂げている周辺言語として甘粛省と青海省の言語がある。東部裕固語（Shira Yughur、甘粛省粛南裕固族自治県、酒泉県、9千人）、土族語互助方言（Monghul、青海省互助土族自治県、15万人）、土族語民和方言（Mangghuer、青海省民和県、2万5千人）、康家語（青海省黄南蔵族自治州尖扎県康楊鎮）、保安語同仁方言 (Bonan、青海省黄南蔵族自治州同仁県、9千人)、保安語積石山方言（Bonan、甘粛省臨夏回族自治州、臨夏県大河家公社、5，6千人）、東郷語（Santa、甘粛省東郷族自治県12万2千人）がある。以上のうちで東部裕固語を除いた言語を河湟語（Shirongol Mongolic）と呼ぶことがある。さらに達斡尓語（Dagur、内蒙古自治区呼倫貝尓、8万人）がある。

　すべて基本語順は SOV である。中央言語に保存されている母音調和は周辺言語の東部裕固語には保存されているが、他の周辺言語には保存されていない[2]。最大の音節構造は音節末子音のありかたによって、CVC 型（蒙古文語など）、CVCC 型（閉音節志向の言語、ハルハ方言など）、CVN 型（N は *n, ŋ*）（開音節志向の言語、東郷語、土族語民和方言）がある。音韻については複雑なため省略する。

4. 先行研究

　モンゴル諸語における否定の先行研究にはまず Sengge (1987)がある。文献として元朝秘史（13世紀半ば）が取り上げられ、現代語として、ホーチンバルグブリヤート方言、オイラート方言、内蒙古方言、土族語互助方言、保安語同仁方言、東郷語、東部裕固語、達斡尓語の例が述べられている。この研究には参考文献がなく例文の出典は記されていない。内蒙古を中心とする 16 地点の形式が書かれているが詳細は不明である。Yu (1991)は Sengge の研究に言及しながら、歴史的研

NPST.VN-EX.NEG　　　COP　　NPST-PTCL/PFV.VN/IPFV.VN

[2] 接辞の母音交替による異形態も含めると、土族語互助方言の下位方言には分離副動詞に母音交替による異形態を持つものがあり、東郷語には派生接辞には 3 種類の交替形と 2 種類の交替形を持つものがある。達斡尓語では交替形は生産的に現れる。

43

究及び周辺言語に関する記述がある。L. Toɣtembayar (2009) は通時的な観点から元朝秘史（13 世紀半ば）、蒙古源流（17 世紀）、ゲセル（18 世紀初頭）、水晶の数珠（18 世紀）、青史（19 世紀）、春の陽は北京より（20 世紀）を取り上げ本来名詞の存在否定を表す後置型が動詞に使用されるようになった歴史的変化の背景について述べ、その変化を認知の観点から考察している。しかし東郷語のように後置型を全く使わない言語があることの説明にはなっていない。蕭 (2007) は元朝秘史（13 世紀半ば）、黄金史（17 世紀）、蒙古源流（17 世紀）、蒙語老乞大（18 世紀）、現代（21 世紀）を取り上げ、*ülü, ese, ügei* の出現数を数えているが、*ügei* の数には名詞の存在否定が含まれているようである。Urančimeg (2008) は *ülü* と *ese* について元朝秘史（13 世紀半ば）、蒙古源流（17 世紀）、ゲセル（18 世紀初頭）、青史（19 世紀）を取り上げ、青史では現在・未来形と共起する *ese* があることを述べている。さらに達斡尓語では *ese* は稀であり、オイラート方言では *ese* が多用されることを述べている。Brosig (2015) は先行研究の成果を十分に吸収し、新たな見解が加えられているが、否定のスコープに関する考察は見られない。終止形に否定辞が付くことはブリヤート語で有名であるが、Yu と Brosig 以外の先行研究には述べられていない。土族語互助方言の一部の下位方言（哈拉直溝方言、紅崖子溝方言）には終止形-*m* に接続する否定辞があることが Brosig には述べられている。以上の研究で副動詞に後置型の否定が接続する言語があることについて述べているのは、Sengge と Yu と Brosig のみである。また否定のスコープについての言及があるのは Yu と Toɣtenbayar のみである。フフバートル（1992）はホルチン（ホロチン）方言やチャハル方言を中心とした後置型の *ügei* (*ugei*) と *busu* (*bishi*) の使い方に関する研究である。橋本（2007, 2009a, 2009b, 2010）はハルハ方言に限った研究であるが、統語論、意味論からの各種の考察をしている。

5. 用例

各否定形式は動詞のどういう形式と共起するかが重要である。

44

5. 1 前置型

5.1.1 禁止型 1 *buu* (PROH 1)

　この形式は土族語互助方言 *bi:*[3]、土族語民和方言 *bao*、保安語郭麻日方言 *bə*、東郷語 *bu*、達斡尔語 *bu:*、ハルハ方言 *büü* として現れ、命令形、意志形と共起するが、土族語互助方言では本来非過去否定型 *ülü* と共起する分離副動詞 (PFV.CVB) *-a:nɜ*、仮定副動詞 (COND.CVB) *-sa*、譲歩副動詞 (CONC.CVB) *-sada* と *büü* が共起することがある。達斡尔語で *büü* と *ülü* が逆になっている場合がある[4]。

5. 1. 2 禁止型 2 *bitügei* (PROH 2)

　この形式は東部裕固語 *pʉtə*、康家語 *bʉde, bʉdeʁei*、保安語（郭麻日方言以外）*təgə*、ハルハ方言 *bitgij*、カルムイク語 *bitšgē* として現れ、命令形、意志形と共起する。禁止型1と禁止型2は言語差を表している。ハルハ方言は禁止型1も禁止型2も使われる。

---

[3] *bi:* は後続母音 *a, o* に逆行同化し融合する。*bii ajəlɢa →* 　*baajəlɢa*「恐がらせるな」、*bii oɢo → booɢo*「与えるな」（照那斯圖編著 1981: 12）。

[4] Todaeva の表記に恩和巴圖式の正書法を付け加える。

kȳ-jū	*bȳ*	*сонс-ōc-ō,*	*ул*	*хусгулдэж*
Huu-yi	*buu*	*sons-oos-oo,*	*ul*	*usuwulj,*
人-ACC	PROH1	聞く-COND.CVB-REFL	PRS.NEG	話す
kȳ-jū	*bȳ*	*мэд-ēc-ē,*	*ул*	*jава.*
Huu-yi	*buu*	*med-ees-ee,*	*ul*	*yao.*
人-ACC	PROH1	知る-COND.CVB-REL	PRS.NEG	行く

人の（言う）ことを聞かないなら話すな、人のことを知らないなら行くな。

(Todaeva 1986: 113, 44)

5.1.3 非過去否定型 *ülü* (NPST.NEG)

この形式は東部裕固語 *lə*、土族語互助方言 *li:, i:*[5]、土族語民和方言 *lai, a*[6]、康家語 *ne*、保安語 *elə, lə*[7]、東郷語 *uliə*、達斡尓語 *ul* として現れ、文末の非過去形と共起するが、土族語互助方言と土族語民和放言では本来禁止型1と共起する命令-*φ*、意志-*ja* と共起することがある。中央言語では消失している。

5.1.4 過去否定型 *ese* (PST.NEG)

この形式は東部裕固語には現れず、土族語互助方言 *si:*[8]、土族語民和方言 *sai*、康家語 *sai*、保安語 *esə, sə*[9]、東郷語 *əsə*、達斡尓語 *əs*[10]、カルムイク語 *es* として現れ、文末の過去形と共起するが、使用頻度は減少しつつある。土族語互助方言の丹麻及び紅崖子溝では *si:* が全く用いられない。カルムイク語には逆に頻繁に現れる。それ以外の中央言語では消失している。

5.2 後置型
5.2.1 名詞存在否定型 *ügei* (EX.NEG)

この形式は東部裕固語 *uɡui*、土族語互助方言 *gui/gua*、土族語民和方言 *gui/guang*、康家語 *uʁi/uʁua*、保安語 *gi/'gina*[11]、達斡尓語 *uwəi*、ハルハ方言 *güj*、チャハル方言

---

[5] *i:* は de Smedt, A. et A. Mostaert (1945) の那龍溝方言、Limusishiden & Kevin Stuart (1998) の丹麻方言、角道（未発表）の東山方言に現れる。*li:* は後続母音 *a, o* に逆行同化し融合する。*lii ajəlɢasa → laajəlɢasa*「恐がらせなければ」、*lii otšəm → lootšəm*「飲まない」（照那斯圖編著 1981: 12）。

[6] *ai* の使用は Zhu 他 (2005) に関する限り物語の語り手ではなく記録（または再録）した人に集中して現れる。角道（2008a: 167-169）を参照のこと。

[7] Todaeva (1984) の同仁方言（調査時44歳）では *ɔ* として現れる。

[8] *si:* は後続する母音 *a, o* に逆行同化し融合する。*sii ajalɢava → saajalɢava*「恐がらせなかった」、*sii orova → soorova*「（雨が）降らなかった」（照那斯圖編著 1981: 12）。

[9] Todaeva (1984) の同仁方言（調査時44歳）では *ɔ* として現れる。

[10] 文法記述には出現するが、文脈を伴ったテキストに現れるのは Poppe (1930) の2例のみであり、Poppe (1934)、Namcarai, Qaserdeni (1983)、Ivanovsky (1982)、Martin (1961)、恩和巴圖等編 (1985)、Todaeva (1986) には全く現れない。

[11] 互助方言、土族語民和方言、康家語、保安語における /の前の形式は自己性 (EGO)、後ろの形式は非自己性(NEGO)を表す。自己性については角道（2021）を参照のこと。

gʊʊ、カルムイク語 *ugē*、オイラート方言 *gaː, guɛ, gua* として現れるが、後置型がない東郷語には現れない。

　後置型は形動詞 (VN)（ハルハ方言、チャハル方言、ブリヤート語）に後続するのが普通であるが、副動詞 (CVB)（東部裕固語[12]、保安語同仁方言、ハムニガン・モンゴル語、ホルチン方言[13]、オルドス方言、オイラート方言）や終止形（ブリヤート語、ハムニガン・モンゴル語、土族語互助方言）に接続する言語がある。8 節を参照。

　名詞の存在否定に *alga*[14]が用いられる言語（ハルハ方言、ブリヤート語、カルムイク語、オルドス方言）があるが、この形式が動詞の否定に用いられることはない。

---

[12] Sengge (1987: 14)に文末が *βei* (COP.NEGO)となっている例文が示されている。
　　 *bu   ɔdɔː jima   da   gə-dʒ   uǧ**u**i   βei.*
　　1SG 今　何　も　する-IPFV.CVB　EX.NEG　COP.NEGO
　　私は今何もしない。
　しかし保朝魯、賈拉森編 (1988:37) の 1 例や保朝魯、賈拉森編著、陳乃雄校閲 (1991:286)の 2 例の例文では、一人称主語の文末は *βe* (COP.EGO)となっている。
[13] 副動詞に後置型否定が接続するように見える表現がホルチン方言にある。フフバートル (1992:120)によると、ホルチン方言では「来ていない」「食べていない」のような進行形（正確にはパーフェクトまたは進行形）の否定が *V-dž-ugue:*（動詞語幹-IPFV.CVB-EX.NEG）となる。これはモンゴル文語の *V-jü bayi-qu ügei.*（動詞語幹-IPFV.CVB COP-NPST.VN EX.NEG）の *bayi-qu* が脱落したものである。
　ハルハ方言では次のようになる。詳細は Svantesson (1991)を参照のこと。
　　パーフェクト
　　　現在　*V-aa-güj*
　　　　　　IPFV.VN-EX.NEG
　　　過去　*V aa-güj*　　　　　　*baj-san*
　　　　　　IPFV.VN-EX.NEG　COP-PFV.VN
　　進行形
　　　現在　*V aa-güj*　　　　　　*baj-n*
　　　　　　IPFV.VN-EX.NEG　COP-PRS
　　　過去　*V-ž*　　　　　　　　*baj-gaa- güj*
　　　　　　IPFT.CVB　　　　COP-IPFT.VN-EX.NEG
[14] ハルハ方言の文末の *alga* の用法については梅谷 (2004)に詳しい記述がある。

47

5.2.2 名詞属性否定型　*busu* (ASC.NEG)

　この形式は東部裕固語 *ʃ*、保安語 *çi, çǝ*、ハルハ方言 *biš*、カルムイク語 *wš, š*、オイラート方言 *ʃ* として現れるが、土族語互助方言、土族語民和方言、康家語、東郷語、達斡尔語には現れない。東部裕固語では非過去形動詞 (*-q*) には必ず名詞属性否定型 *ʃ* が接続する。保安語では非過去形動詞 (*-gǝ*) にも完了形動詞 (*-saŋ*) にも接続するが義務的ではない。カルムイク語では非過去形動詞 (*-k, -χ*) には随意的に *wš, š* として現れる。Brosig (2015: 77)に Pjurbeev からの私信としてオイラート系の言語に *busu* 型 (*-š*) が現在の否定、*ügei* 型 (*-go*) が未来の否定として区別されている例があることが述べられている。

　　現在形

　　Övgn　　yum　　kel-h-š̠.

　　old man　thing　say-NPST.VN-ASC.NEG　　(*busu* 型)

　　Old man doesn't speak [now].

　　未来形

　　Övgn　　yum　　kel-h-go̠.

　　old man　thing　say-NPST.VN-EX.NEG　　(*ügei* 型)

　　Old man won't speak.

5.2.3 名詞属性否定型　*mari* (ASC.NEG)

　康家語には *busu* (ASC.NEG)が用いられない代わりにチベット語由来の *mari*[15] が現れる。この形式は非過去形動詞の *-gʉ* 及び経常（常に、絶えず）*-sʉgʉ* にのみ接続する。

---

[15] チベット文語 *ma rad*、Kalasang Norbu 他（2000: 29）のアムド方言 *ma rit*、海老原（2019: 76）のアムドの共和方言ではソトの否定・平叙の形式は *ma-ril* となっているが、Tserin Samdrup & Suzuki（2018）のアムドチベット語 Mabzhi では *ma-rǝ, ma-ra* となっている。

6. 言語内におけるバリエーション

6.1 土族語互助方言(Mongghul)内のバリエーション

　土族語互助方言は比較的資料が多く、下位方言における差異が確認できる。清格尔泰等編（1988）の東溝、Todaeva(1973)の哈拉直溝、Schröder(1959, 1970)及びHeissig(1980)の沙塘川、Limusishiden & Kevin Stuart(1998)の丹麻、Faehndrich(2007)の紅崖子溝、甘粛省《格薩爾》工作領導小組辧公室、西北民族学院《格薩爾》研究所編纂（1996）の天祝の実態を以下に述べる。前置型 *li:* は本来非過去と共起し、前置型 *si:* は本来過去と共起したと考えられるが、*si:* の使用が減少すると共に *li:* が過去形と共起することを許すようになっていったと考えられる。丹麻と紅崖子溝では *li:* は非過去ととしか共起できないので、過去は後置型を用いざるをえない。後置型は全ての下位方言に現れ、普通は語幹末が-*n*（非分離副動詞、非過去を表す）または-*dʒə*（結合副動詞、過去を表す）であるが、哈拉直溝と紅崖子溝では-*m*（終止形、非過去を表す）も現れる。哈拉直溝では φ も現れ、丹麻では-*dʒa*（結合副動詞の異形態、過去を表す）も現れる[16]。〇は普通に現れる形式、o は稀に現れる形式を表す。東溝は標準語なので規範化されているように見えるが他の下位方言を見ると、*sii* の使用が減少すると共に *lii* が非過去にも用いられたり、後置型に移行したりする変化がうかがわれる。*gu-* は *gu-i:* (EGO)、*gu-a* (NEGO)の語幹を表す。

---

[16] 角道著（2008b: 143-146）を参照のこと。

表1 土族語互助方言の下位方言における否定形式の状況

	前置型				後置型				
	li:		*si:*		-*m* / gu-	-*n* / gu-	-*ø* / gu--	-*dzə* / gu-	-*dza* / gu--
	非過去	過去	非過去	過去	非過去			過去	
東溝	○	○	o			○		○	
哈拉直溝	○	o		○	o	○	o	○	
沙塘川	○	o		○		○		○	
丹麻	○			○		○		○	○
紅崖子溝	○				o	○		○	
天祝	○	o		○		○		○	

　上述の表には記していないが、名詞存在否定型が非過去形動詞(-*gu*)に接続する例がTodaeva(1973:196, 248)に見られ[17]、完了形動詞(-*san*)に接続する例が清格尔泰等編（1988:94）に見られる[18]。

6.2 土族語民和方言(Mangghuer)内のバリエーション

　Dpal-ldan-bkra-shis, Keith Slater et al. (1996)の土族語民和方言のデータに基づいて否定の形式を整理すると以下の表のようになる。

---

[17] Todaeva のキリル文字表記及び対応する正書法表記を示す。

īni　ȳu-a　　　　　　 *чада-ɀy-дe*　　　　　 *jaʁa-нā*　　　 *хōдзен*
ili　uqu-a　　　　　　 *qadi-gu-du*　　　　　 *yagha-naa*　　 *hoosin*
皆　飲む-PFTV.CVB　満腹する-NPST.VN-DAT　椀-REFL　空
у5ӯ-ɀy　　　　　 *уɀy-ī.*
ughu-gu　　　　 *ugu-i.*
与える-NPST.VN　　EX.NEG-EGO
皆飲んで満腹したとき、椀を空で返さない。　　　　(Todaeva 1973: 196)

[18] *liu-nə　forɔŋ-də　bu　ɕdz-san gu-i.*
竜-GEN 宮殿-DAT　1SG　行く-PFV.VN EX.NEG.EGO
竜宮へ私は行かなかった。　　　　(清格尔泰等編 1988: 94)

50

表2　Dpal-ldan-bkra-shis, Keith Slater et al. (1996)の土族語民和方言の否定

		過去		現在	未来	
前置型	*(l)ai*	*-jiang**		*-la* *-lang*	*-ang* *-ni*	*-kunang*
	sai	*-jiang*				
後置型	*gui/guang*		*-sang*	*-la*		

　前置型に関しては、非過去は*(l)ai*、過去は*sai*が用いられ、後置型に関しては時制に関係なく過去の*-sang*、非過去の*-la*に接続して用いられている。*は Todeva (1973: 297)や Slater (2003: 146)に例が見られるので、*sai*の使用が減少すると共に*(l)ii*の代わりに*sai*が使われたことがあったと解釈できる。

　塩谷茂樹、何菊紅著（2018:43）の革新的[19]な土族語民和方言の否定の形式を上の表にあわせて書き換えると表3のようになる。過去形の*-jiang*は肯定形には出現するけれども、否定形には全く姿を見せない。それに伴って後置型の否定形式*sai*も出現しない。前置型*lai*と後置型*gui/guang*は相補分布を成している。この結果かつてあった(a) *lai V-la / V-la gui/guang* 及び(b) *sai V-jiang / V-sang gui/guang* の使い分け[20]が消失している。

表3　塩谷茂樹、何菊紅著（2018；43）の革新的土族語民和方言の否定

		過去		現在	未来	
前置型	*lai*				*-ang,* *-ø*	*-kunang*
	sai					
後置型	*gui/guang*		*-sang*	*-la*		

---

[19] 否定形式以外に再帰形がかつての*-nang*から*-lang*に変化している。

[20] Zhu 他編（2005）では(a)*lai　V-lang* 32 例 / *V-la guang* 8 例、(b)*sai V-jiang* 3 例 / *V-sang guang* 12 例である。革新的な言語で(a)では用例が少ない方が残り、(b)では多い方が残っている。

6.3 カルムイク語、オイラート語

　オイラート系の言語にはいくつかのバリエーションが見られる。とりわけ重要なのは前置型否定 *ese* を使用するカルムイク語、オイラート語、海西蒙古語に対して、*ese* を全く使用しないザハチン方言があることである。さらに非過去形動詞 *-qu* に接続する後置否定の形式 *ügei* と *busu* の両方が接続するカルムイク語[21]、*busu* のみが接続するオイラート方言、*ügei* のみが接続する海西蒙古語およびザハチン方言があることである。否定以外の点でも海西蒙古語は人称接辞を保存していない。ザハチン方言は人称接辞は保存しているが、再帰形の形態素末の *n* を殆ど消失している。

表4　オイラート諸語の異同

	カルムイク語	オイラート方言	海西蒙古語	ザハチン方言
ese	○	○	○	
-qu ügei	○		○	○
-qu busu	○	○		
人称接辞	○	○		○
再帰形の *n*	○	○	○	

　まず Ramstedt (1909-1919: 35-36, 184-211; 1956) から得られたカルムイク語の否定の表現を以下に示す。表記はフィノ・ウゴール協会のものである。前置型の *es* は時制に関わりなく用いられる。分離副動詞 *-ɛd* に接続する後置型 *ugɛ̄* がある[22]。後置型 *wš, š* の使用はハルハ方言より多い。表には示していないが *V-l ugɛ̄*「行われ

---

[21] Brosig (2015: 78) はオイラートのある方言では *-qu busu* が現在、*-qu ügei* が未来を表すと述べているが、Ramstedt (1956) の諺と謎々を見る限り、両者にそのような違いは感じられない。

[22] 分離副動詞に後置型の否定形式が付く例。以下の例は限定用法であるが、Brosig (2015: 76) には文末の例があがっている。

　tör-ɛ̄d-ugɛ̄　　　　　　　*köwün-də*　*tömr*　*ölgɛ̄*　　*beldə-dž.*
　産まれる-PFV.CVB-EX.NEG　息子-DAT　鉄　揺りかご　準備する-PST
　産まれていない息子に鉄の揺りかごを準備した。　(Ramsted 1956: 8, 19)

るはずのことが行われていない」、*V-š ugē*「決して〜しない、することができない」も頻繁に現れる。

表5　カルムイク語の否定形式

否定形式		終止形		形動詞				副動詞
		-nā 現在	*-dž* 過去	*-χɒ* 非過去	*-sn* 完了	*-d(ɒɢ)* 習慣		*-ēd* 分離
前置型	*es*	○	○		○	○		
後置型	*-ugē*			○	○	○		○
	-wš, š			○		○		

　確精扎布等編（1987: 271-445）のオイラート方言は以下のようになっている。表記は IPA である。表には示していないが *V-l　ga:,　V-ʃ　ga:* も頻繁に現れる。カルムイク語との違いは *-x* の後置型否定は必ず *-ʃ* が接続することである。表記は IPA である。

表6　オイラート方言の否定形式

否定形式		終止形		形動詞				副動詞
		-næ 現在	*-dž* 過去	*-x* 非過去	*-san* 完了	*-dag* 習慣	*-a* 未完了	
前置型	*es*	○		○		○		
後置型	*-ga:*				○	○	○	
	-ʃ			○	○	○		

　査干哈達（1986; 70-76）の海西蒙古語の資料は比較的短いものであるが、後置型の *busu* が全く現れないという特徴がある。*es V-tsan*（完了形動詞）、*-x*（非過去形動詞）*guɛ*、*V-dig*（習慣形動詞）*guɛ* が現れる。
　Ž. Coloo (1965: 81-87) のザハチン方言はモンゴル国西部のオイラート系言語である。表記はフィノ・ウゴール協会のものである。前置型 *ese* と後置型 *biš* は全く

現れない[23]。-x (NPST.VN) *guε*、*V-dig* (HAB.VN) *guε* が現れる。オイラート方言の特徴である人称接辞は稀に現れるが義務的ではない。再帰形の語末の *n* は脱落している。

7. 前置型と共起する形式

7.1 通時的

　前置型は古くは主節の終止形においては *ülü* が非過去、*ese* が過去と共起する。しかし文中の副動詞との共起関係は必ずしも明確ではない。まず過去の文献に見られる状態について概説する。

　中世モンゴル語 (13 世紀の初葉から 17 世紀中葉まで[24]) の実態を小沢 (1979)、Yu (1991)、Urančimeg (2008) に基づいて共起関係を示すと次のようになる。分離副動詞 *-γad* 以外の副動詞は否定形式として *ülii* と *ese* のどちらが使われているかがきれいに相補分布している。つまりどちらを使うかは副動詞が決めていて文末の時制は関与していない。形態素の異形態は省略して代表的な形式のみを示す。

中世モンゴル語 (13 世紀初葉〜17 世紀中葉)
　ülii と共起する副動詞
　　-n (非分離副動詞)、*-run* (準備副動詞)、*-γad* (分離副動詞)
　ese と共起する副動詞
　　-ju (結合副動詞)、*-basu* (仮定副動詞)、*-tala* (限界副動詞)、
　　-ra (目的副動詞)、*-γad* (分離副動詞)

　Urančimeg (2008) に述べられている資料に基づいて前置型の *ülii* と *ese* が共起する副動詞がどのようになっているかを記すと以下のようになる。蒙古源流 (1662 年) は中世モンゴル語と同様、副動詞が否定形式を選択している。しかし、ゲセル (18 世紀) では結合副動詞 *-ju* を否定するのに *ülii* と *ese* の両方の場合があ

---

[23] 名詞の属性否定は *biš* が用いられる。
[24] 小沢著 (1997: 2)

り文末の時制が共に過去なので、どちらの否定形式を選ぶかの説明にはさらに検討を要する。青史（19世紀）でもゲセルで見たのと同じ問題がある。

7.2. 周辺言語における実態

　カルムイク語の頻繁に用いられる *ese* を別にすると、中央言語では *ülü* も *ese* も生産的には用いられない。しかし周辺言語には生産的に残っている。ただし東部裕固語とダグール語では *ülü* だけが生産的に使用されるため、副動詞との共起関係を述べる意味はない。

　副動詞と共起する否定形式を論じる際に重要なことは副動詞を含む従属節の従属度である。例えば目的副動詞を含む従属節は従属度が高く、否定を含んだ節の領域が主節まで及んでいるように見える。従ってこういう例は除いて考える必要がある。

　Yu (1991: 36)は東郷語の副動詞の前置否定は主節の時制が決めていると述べている。東郷語以外でこの主張が正しいかどうかを確認することにする。各言語でYu (1991: 36)の主張に合わない例を以下に示す。

7.2.1 土族語互助方言

　清格尔泰編著、李克郁校訂（1991: 225-243）から得られた土族語互助方言の副動詞に前置する否定形式の例の多くは Yu の主張を指示するけれども、一部そうでないものがある。

　非分離副動詞 *-nɘ* (MOD.CVB)または分離副動詞 *-aːnɘ* (PFV.CVB)
　siː (PST.NEG)

pudzig	*siː*	*mude-nɘ-ŋɜ*	(*mud(e)-eːnɘ*)
文字	PST.NEG	知る-MOD.CVB-INDEF	知る-PFV.CVB
pudzig	*surɘ-n-iː.*		
文字	学ぶ- MOD.CVB-EGO		

　文字を知らなかったので文字を学ぶ。

（清格尔泰編著、李克郁校閲 1991: 232）

55

仮定副動詞 -sa (COND.CVB)

lii (NPST.NEG)

bu   li: jau-sa   li:
1SG   NPST.NEG   行く-COND.CVB   NPST.NEG

jau-dz-a.

行く-IPFV.CVB-NEGO

私は行かないときは行かなかった。

(清格尔泰編著、李克郁校閲 1991: 233)

継続副動詞 -sa:r (PROG.CVB)

lii (NPST.NEG)

bu   li: gule-sa:r   do   ulɘ-dz-a.
1SG   NPST.NEG   言う-PROG.CVB   今   なる-IPFV.CVB.NEGO

私は言わないまま今になった。

(清格尔泰編著、李克郁校閲 1991: 233)

7.2.2　土族語民和方言

Dpal-ldan-bkra-shis, Keith Slater et al. (1996)の土族語民和方言の資料を整理した結果から示す。

結合副動詞 -ji (IPFV.CVB)

sai (PST.NEG)

bi   gan-ni   sai   qige-ji   sannian
1SG   3SG-ACC   PST.NEG   会う-IPFV.CVB   3年

ber-kuang.

なる-FUT.NEGO

私は彼（女）に会わないで3年になる。

(Dpal-ldan-bkra-shis, Keith Slater et al. 1996: 49a, 560)

7.2.3 康家語

斯欽朝克圖著（1999: 151-164）から副動詞の前置型否定の例を示す。得られた
データからは *ne, se* のどちらが使われているかは多くは主節の時制によって決ま
っているが、以下のような例がある。「生長した」と「（雨が）降った）」は共に過
去の事態であるが、文全体は現在である。

仮定副動詞 -*sa*（COND）

　se（PST.NEG）

　　dʒuaŋdʒia　　*se*　　　　*ɯsɯ-sa*
　　作物　　　　PST.NEG　　生長-COND.CVB

　　alla　*se*　　　*uru-sɯn*　　　*gaudau va.*
　　天　　PST.NEG　　入る-PFV.VN　原因　　COP.NEGO

　　作物が生長しなかったのは雨が降らなかったからである。

（斯欽朝克圖著 1999: 157）

7.2.4 保安語同仁方言

陳乃雄等編、清格尓泰校閱（1987: 233-234, 299）では保安語同仁方言の副動詞
の前置型否定はすべて *ese* になっている[25]。Yu の主張に反するものを示す。

仮定副動詞 -*sa*（COND.CVB）

　ese（PST.NEG）

　　maχɕi　*ese*　　　*ər-sa*　　　　　*əd-ə.*[26]
　　明日　PST.NEG　　入る-COND.CVB　行く-PST.NEGO

---

[25] 佐藤（2011: 88 (90)）に保安語積石山方言の副動詞に前置する *lə* の例が載っている。
主節は過去形である。

　　nəgə　*gandʑi*　*atɕi*　*lə*　　　　*dagə-səla*
　　一　　本　　香　NPST.NEG　　無くなる-TERM.CVB
　　ləudʑi-nə　　*dʑangə-dʑi*　　　*dangə-tɕa*
　　やぐら-ACC　　火を付ける-IPFV.CVB　　火を付ける-PST.NEGO
　　一本の香が消えてなくならないうちに、やぐらに火を付けた。

[26] この文の最後の動詞の時制は理解困難である。陳乃雄編著（1987:49）では殆ど同じ文で
最後が *əd-ja-dʑi*（行く-VOL-と）「行こうと」となっている。

明日雨が降らなければ行く。

（陳乃雄編著、清格尓泰校閲 1987: 233）

譲歩副動詞 -sada (CONC.CVB)

ese (PST.NEG)

tɕi *niŋa* *ese* *əd-sada* *bə* *kətə*
2SG 暇 PST.NEG 与える-CONC.CVB 1SG 家

əd-gi.
行く-NPST.CVB-EGO

あなたが暇をくれなくても私は家に帰ります。

（陳乃雄編著、清格尓泰校閲 1987: 233）

7.2.5 東郷語

Todaeva (1961: 73)から得られたデータ（キリル文字）及びIPAを示す。Yu (1991: 36)は東郷語の副動詞の前置型否定は主節の時制が決めていると述べているが、反例になる。

結合副動詞 -dʐi (IPFV.CVB)

uliə (NPST.NEG)

Ta *hə-ни* *улиə* *ɞaji-дʐci*
ta *hə-ni* *uliə* *wai-dʐi*
2SG それ-ACC NPST.NEG 掘る-IPFV.CVB

jaн *кiə-дʐci* *ɞɔ?*
jaŋ *kiə-dʐi* *wo?*
何 する-IPFV.CVB COP

あなたはそれを掘らないで何をしたのか。

(Todaeva 1961: 73, 4)

8. 形動詞以外に後置型の否定形が接続する例

8.1 終止形に後置型の否定形が接続する例

　ブリヤート語では形動詞以外に終止形にも否定形式が接続する。

　ブリヤート語ホリ方言

　　jaba-na-ygei-b.

　　行く-PRS-EX.NEG-1SG

　　私は行かない。　　　　　　　　　　　　　　　　（Bosson 1962: 27）

　ブリヤート語ツォンゴル方言

　　tere xȳxen-de ɵgɵ-be　　　ygei.

　　その　娘-DAT　与える-PST　EX.NEG.　　　（Poppe 1936: 39）

　　その娘にあげなかった。

　ハムニガン・モンゴル語

　　yabu-nang-gui.

　　行く-NPST[27]-EX.NEG

　　（彼は）行かない。　　　　　　　　　　　　　（Janhunen 2003: 98）

　武達等編（1984: 3-335）のホーチンバルグブリヤート方言には終止形に接続する例は見当たらない。

　土族語互助方言では終止形-*m* に否定形が接続する形式が哈拉直溝方言と紅崖子溝方言 (Karlong)に見られる。Todaeva のデータのキリル文字はそのまま引用し李克郁式の正書法[28]とグロスを付け加えた。Faehndrich のデータの表記はそのままにし、グロスを訂正した。

---

[27] Janhnen (2008: 98)では DUR(durative)というグロスが与えられている。
[28] 李克郁主編（1988）に従う。

哈拉直溝方言

aji-ca　　　　　*ajɛ-ɣʉ-на*　　　　　*мʉðe-м-ʉɣʉ-a*

ayi-sa　　　　　*ayi-gu-na*　　　　　*mude-m̲　gu-a.*

恐がる-COND.CVB 恐がる-NPST.VN-REFL 知る-PRS EX.NEG-NEGO

恐くても怖さを知らない。　　　　　　　　(Todaeva 1973: 184)

紅崖子溝方言(Karlong)

ge:bianla　　nige　andʑi.[29]-mada-dɨ　　ɕira-m̲　　　　gu-a.

変化する　　一　　どこ-も-DAT　　燃やす-PRS　　EX.NEG-NEGO

ɕendʑai　　dаnɢʉаl.

現在　　　土の塊

時代が変わって、どこも燃やさない、今は土の塊を。

(Faehndrich 2007: 195)

　Limusishiden & Kevin Stuart (1998)が記録している丹麻方言では語末の *m* が *n* に変化しているため、*n* が終止形の変化したものか、副動詞か判定ができない。同様のことは角道のフィールドワークで調査した東山方言（未公開）でも言える。

8.2 副動詞に後置型の否定形が接続する例

　Janhunen (2003: 98)によると、ハムニガン・モンゴル語では非分離副動詞(MOD.CVB)に後置型の否定形が接続する[30]。Brosig (2015: 75)はハルハ方言、チャハル方言、ブリヤート語には副動詞に否定形が接続する例はないけれども、ホルチン方言、オルドス方言には結合副動詞、オイラート方言には分離副動詞に否定形が接続すると述べている。これ以外に東部裕固語には結合副動詞-*dʑi* に否定形

---

[29] Faehndrich (2007: 195)は *andʑ-i:*に where-SUBJ というグロスを与えている。SUBJ は EGO (自己性)のことであるが、この形式が文中に出現することはない。角道（2019）を参照のこと。

[30] *yabu-ng-gui.*
　行く-MOD.CVB-EX.NEG
　行かないで　　　　　　　　　　　　　(Janhunen 2003: 98)

式 *uɡui* が接続する例が確認できる。また土族互助方言では非分離副動詞*-n* 及び
結合副動詞*-dʑə* に生産的に後置型否定形式が接続する（表1）。

9. 類似した表現の使い分け

　類似した表現が 2 つ（以上）ある場合の使い分けの説明は非常に困難である。
まず同一言語内の方言差（地域、世代、個人）によっては類似した表現が存在し
ないこともある。また先行研究の記述の例外が見つかることもある。前者につい
ては土族語互助方言、土族語民和方言、オイラート系の言語の例をすでに述べた。
後者の場合についてハルハ方言と達斡尓語の例をあげる。

9.1 ハルハ方言

　モンゴル国立大学モンゴル語研究室編、岡田和行編訳、小沢重男監修（1989）
にモンゴル語原文にはない情報で編訳者が書き加えた(a) *-x-güj baj-na* (非過去形動
詞-否定 コピュラ-現在)と(b) *-aa-güj baj-na* (不完了形動詞-否定 コピュラ-現在)の
違いについて、(a)は「〜する（なる）べきなのに〜して（なって）いない」とい
う何らかの価値判断を含んだ意味を表すのに対して、(b)の方は「（まだ）〜して
（なって）いない、〜する時間になっていない」という価値判断を含まない単純
な事実を表す(p.40)という記述がある。これに対して、橋本（2007:61）は「彼女
はなぜこんな年齢になるまで結婚しないのですか。」という価値判断（期待はず
れ）の意味が感じられる文に (b)の形式が使われている例をあげている。

9.2 達斡尓語

　山田（2016:333-334）は達斡尓語の前置型否定 *ul V-n* と後置型否定 *V-ɣu uwəi* に
ついて、後置型否定 *V-ɣu uwəi* は話し手または聞き手の「期待」が否定されている
ときに用いられると論じている。
　達斡尓語の *V-ɣu uwəi* は Poppe (1930, 1934)、Namcarai, Qaserdeni (1983) には全く
なく、Martin (1961)に 6 例、Ivanovsky (1982)に 2 例、恩和巴図等編 (1987) に 17
例、Todaeva(1986)に 2 例見られる。このうち話し手または聞き手の「期待」が否
定されているとは言えない例が 2 例ある。

xinəːd-ə-dʒ　　　　*naːd-ə-dʒ*　　　　*amˈnaː-yas*

笑う-E-IPFV.CVB　遊ぶ-E-IPFV.CVB　暮らす-COND.CVB

isyəː-yu　　　　*usuɣ^w　olɣu*＿＿＿＿＿＿＿＿＿*uwəi.*

困る-NPST.VN　言葉　得る-NPST.VN　EX.NEG

笑って遊んで暮らすと困る言葉は得られない。　　　恩和圖等編 (1985: 335)

tərə　　*эрин-э̄с*　*хэкил-э̄р*　　　　*арсалан*　*кӯ-jū*　　*ɔр-ū*

ter　　*erin-ees*　*hekil-eer*　　　　*arslan*　*huu-yi*　*ger-ei*

その　　時-ABL　始まる-PFV.CVB　　ライオン　人-GEN　家-GEN

ваiрӣ-н`　　　*uр-ɣy*＿＿＿＿＿＿＿＿＿*yвəi*　　*эlэ-н.*

wair-ini　　*ir-wu*＿＿＿＿＿＿＿＿＿*uwei*　　*el-e-n.*

近い POSS　来る-NPST.VN　EX.NEG　言う-E-PRS

その時以来ライオンは人の家の近くに来ないそうだ。　　(Todaeva 1986: 104)

10. おわりに

　以上述べたことをまとめると以下のようになる。本稿での新しい見解は(5)と(6)である。

(1) モンゴル諸語を通じて意志、命令、希望の否定は前置型が用いられる。*buu* と *bitüei* のどちらを用いるかは言語差があるが、意志、命令に *ülü* も使用できる言語（土族語）や命令に *buu* と共に *ülü* も用いられる言語（達斡尔語）がある。この前置型は歴史を通じて変化がない。

(2) モンゴル語の古い段階では動詞の否定は前置型、名詞の否定は後置型が用いられていた。

(3) モンゴル語の古い段階では動詞の前置型否定は非過去に用いる *ülü* と過去に用いられる *ese* が明確に区別されていた。しかし多くの言語で *ese* の使用が減少し、完全に失われた言語（東部裕固語、土族語丹麻方言、土族語紅崖子溝方言）がある一方 *ese* だけが保存されている言語（カルムイク語）がある。

(4) 動詞の否定に本来名詞の存在否定に用いられていた後置型の *üigei* の使用が増加している。しかしこの傾向を殆ど受け付けない言語（東部裕固語）や全く受け付けない言語（東郷語）がある。

(5) 副動詞を前置型で否定する場合、かつては *ülü* と *ese* のどちらが使われるかを副動詞が決定していたが、多くは主節の時制が決定する方向に変わっていっている。しかし従属度の確認が必要である。

(6) 類似した表現が 2 つあっても一方が使われなくなったために、その使い分けの必要がなくなった言語（革新的な土族語民和方言）もある。

(7) 名詞の存在否定 *ügei* と名詞の属性否定 *busu* の使い分けは言語間を通じて通時的にも乱れはないのに、*busu* を動詞否定として、ある条件で義務的に使う言語（東部裕固語）や随意的に使う言語（保安語、カルムイク語）があり、使い分けの条件を記述するには情報が不足している。

(8) 2 つあった前置型否定のうち東部裕固語では *ülü* だけが残り、カルムイク語では *ese* だけが残っている理由は不明である。

略号

ACC	accusative	対格
ASC.NEG	ascriptive negation	属性否定
CONC	concession	譲歩
COND	conditional	条件
COP	copula	コピュラ
CVB	converb	副動詞
DAT	dative	与位格
E	epenthesis	挿入音
EGO	egophoric	自己性
EX.NEG	existential negation	存在否定
FUT	future	未来
GEN	genitive	属格
HAB	habitual	習慣
INDEF	indefinite	後置不定冠詞
IPFV	imperfective	未完了
IPFV.CVB	imperfective converb	結合副動詞

IPFV.VN	imperfective verbal noun	未完了形動詞
MOD.CVB	modal converb	非分離副動詞
NEGO	non-egophoric	非自己性
NPST	non-past	非過去
NPST.NEG	non-past negation	非過去形否定
PFV	perfective	完了
PFV.CVB	perfective converb	分離副動詞
PFV.VN	perfective verbal noun	完了形動詞
POSS	possession	後置所有マーカー
PRS	present	現在
PROG	progressive	継続
PROH 1	prohibition 1	禁止 1
PROH 2	prohibition 2	禁止 2
PST	past	過去
PST.NEG	past negation	過去形否定
PTCL	particle	助詞
REFL	reflexive	再帰
SG	singular	単数
TERM	terminative	限界
VN	verbal noun	形動詞
VOL	volition	意志
1	firs person	一人称
2	second person	二人称
3	third person	三人称

参考文献

日本語

海老原志穂（2019）『アムド・チベット語文法』ひつじ書房

橋本邦彦 (2007)「否定の連鎖－モンゴル語の否定表現の機能－」『認知科学研究』5:49-74.

橋本邦彦 (2009a)「現代モンゴル語の否定文脈における焦点化詞 ʒ(ч)の機能について」『北海道言語文化研究』7:119-133. 北海道言語研究会.

橋本邦彦 (2009b)「モンゴル語の見えない否定演算子」『言語学論集特別号（城生佰太郎教授退職記念論文集)』25:1-13.

橋本邦彦 (2010)「モンゴル語の存在文と所有文の否定について」『一般言語学論集』13:1-25.室蘭工科大学.

フフバートル（1992)「モンゴル語の否定助辞 －ugei と bishi の使い方について－」ILT NEWS 91: 117-123. 早稲田大学語学教育研究室.

角道正佳 (2008a)「土族語民和方言メモ －『中国民和土族民間故事』、『土族民間故事』の分析より－」*Dynamic in Eurasian Languages, Contribution to the Studies of Eurasian Languages (CSEL) series*. volume 14: 137-175. Kobe City College of Nursing.

角道正佳著（2008b)『土族語互助方言の研究』松香堂,

角道正佳 (2019)「土族語の「どこ」を表す表現」『日本モンゴル学会紀要』49:1-17.

角道正佳 (2021)「土族語互助方言の自己性 －動詞接尾辞-*wa* は自己性標識である－」『言語の類型的特徴対照研究会編『言語の類型的特徴対照研究会論集』3: 59-73. 日中言語文化出版社.

モンゴル国立大学モンゴル語研究室編、岡田和行編訳、小沢重男監修 (1989)『モンゴル語教科書（外国人向け)』東京外国語大学語学教育研究協議会.

小沢重男 (1979)「元朝秘史蒙古語における兀禄 *ülü* と額薛 *ese* について」『中世蒙古語諸形態の研究』193-198.開明書院.

小沢重男（1997)『蒙古語文語文法講義』大学書林.

佐藤暢治 (2007)『保安語積石山方言のテキスト』白帝社

塩谷茂樹、何菊紅著 (2018)『土族語文法』東京外国語大学アジアアフリカ言語文化研究所.

梅谷博之 (2004)「モンゴル語の alga「ない」について」『東京大学言語学論集』23:203-232.

山田洋平 (2016)「ダグール語の 2 種類の動詞否定形式」『日本言語学会 第 153 回
大会予稿集』330-335.

欧米語、モンゴル語

Bosson, Japmes E (1962) *Buriat Grammar.* Indiana University, Bloomington. Mouton & Co.
The Hague, The Netherland.

Brosig, Benjamin (2015) Negation in Mongolic. SUNSA/JFOu 95: 67-136.

Dpal-ldan-bkra-shis, Keith Slater, et al. (1996) *Language Materials of China's Monguor
Minority: Huzhu Monghghul and Minhe Mangghuer.* Sino-Platonic Papers.Number 69.
Department of Est Asian Languages and Civilizations. Philadelphia. USA: University
of Pennsylvania.

Faehndrich Burgel R. M. (2007) *Sketch Grammar of the Karlong Variety of Mongghul and
Dialectal Survey of Mongghul.* University Microfilms.

Heissig, Walther (1980) *Geser rëdzia-wu, Dominik Schröders nachgelassene Monguor
(Tujen)-Version des Geser-Epos aus Amdo.* Wiesbaden: Otto Harrassowitz.

Ivanovsky, A. O. (1982) *Manjurica I Specimens of the Solon and the Dagur Languages.*
Budapsst: Akdémiai kiadó.

Janhunen, Juha (2003) Khamnigan Mongol. in Janhunen, Juha ed. *The Mongolic
Languages.*London & New York: Routledge Taylor & Francis Group. 83-101.

Kalasang Norbu, Karl A. Peet, dPal ldan bkra shis, Kevin Stuart (2000) *Modern Oral Amdo
Tibetan: A Language primer.* The Edwin Mellen Press. Leviston・Queenston・Lampeter.

L. Toγtembayar (2004) Mongγol kelen-ü üile üge-yin ügeiskekü kelberi 'ügei' -yin kele
ĵüiĵigsen yabča-yi sinĵilekü ni. *Öbör mongγol-un yeke surγaγuli-yin erdem sinĵilgen-ü
sedkül.* 1:68-79.

Limusishiden & Kevin Stuart (1998) *Huzhu Mongghul Folklore, Text & Translations.*
Languages of the World/ Text Library 03. LINCOM EUROPA.

Martin, Samuel E. (1961) *Dagur Mongolian Grammar, Texts and Lexicon.* Bloomington.

Namcarai, Qaserdeni (1983) *Daγur kele mongγol kelen-ü qaričaγulul.* Öbür mongγol arad-
un keblel-ün qoriy_a.

Poppe, N. (1930) *Dagurskoe narečie*. Materialy komissii po isledovaniju mongol'skoj i tannu tuvinckoj narodnyx respublik i bur'at monolih ASSR. Lenigrad.

Poppe, N. N. (1936) *Bur'at mongol'skij fol'klornij i dialektologičeskij sbornik*. Moskva: Izdatel'stvo akademii nauk SSSR.

Poppe, Nicholas N. (1960) *Buriat Grammar*. Bloomington. Mouton & Co., The Hague, The Netherland.

Poppe, Nicholas N. (1934) Über die Sprache der Daguren. *Acta Major* XI. 1-32.

Ramstedt, G. J. (1909-1919) *Kalmückische Sprachproben. Gesmmelt und Herausgegebe*. Helsinki.

Ramstedt, G. J. (1956) Spriciwörter und Rätsel. in Matti Liimola ed. *Zur wogliscehn Formenlehre* . Suomalais-ugrilainen seura. Helsinki.

Schröder, Dominik (1959) *Aus der Volksdichtung der Monguor*, 1 Teil. Wiesbaden: Otto Harrassowitz.

Schröder, Dominik (1970) *Aus der Volksdichtung der Monguor*, 2 Teil. Wiesbaden: Otto Harrassowitz.

Sengge (1987) Mongɣol töröl kelen-ü üile üge-yn ügeiskekü qoriɣlaqu udqa-yi iledkekü ary_a ba ončaliɣ. *Öbör mongɣol-un yeke surɣaɣuli-yin erdem sinjilgen- ü sedkül*. 2:1-17.

Slater, Keith W. (2003) *A Grammar of Mangghuer: A Mongolic language of China's Qinghai-Gnsu Sprachbund*. London and New York: RoutledgeCurzon.

de Smedt, A. et A. Mostaert (1945) *Le dialecte monguor parlé par les mongolds kansou occidental* IF partie: *grammaire*. Londun • Paris: Mouton & Co. The Hague.

Svantesson, Jan-Olof (1991) Tense, Mood and Aspect in Mongolian. *Woeking Ppers* 38:189-204. Lund Univesity, Dept of Linguistics.

Todaeva. B. X. (1961) *Duns'ansskij jazyk*. Moskva: Izdatel'stvo vostočnoj literatura.

Todaeva. B. X. (1964) *Baoan'skij jazyk*. Izdatel'stvo 《nauka》.

Todaeva. B. X. (1973) *Mongorskij jazyk*. Moskva: Izdatel'stvo 《nauka》 Glavnaja redakcija vostočnoj literatura.

Todaeva. B. X. (1986) *Dagurskij jazyk*. Moskva: Izdatel'stvo 《nauka》 Glavnaja redakcija vostočnoj literatura.

Tserin Samdrup, Suzuki, Hiroyuki (2018) Evidential system in Mabzhi Tibetan of Amdo.

Proceedings of the 51th International Congress of Sino-Tibetan Languages and Linguistics. 913-925.

Urančimeg (2008) 'ülü' ba 'ese'-yin tuqai ögülekü ni. *Öbör mongγol-un yeke surγaγuli-yin erdem sinjilgen-ü sedkül*. 4:36-51.

Üjüm_e (2006) Orčin čaγ-un mongγol kelen-ü 'ügei'-yin tuqai. Dundad ulus-un mongγol sudulul. 24(6): 11-17.

Zhu Yongzhong, Wang Xianzheng, Keith Slater, Kevin Stuart et al. (2005) *Folk tales of China's Minhe Mngghuer*. Language of the World/ Text Library. LincomEuropa.

Yu, Wonsoo (1991) *A Study of Mongolian negation*. Ph. D. dissertation, Indiana University.

Ž. Coloo (1965) *Zaxčin aman ajalguu*. ŠUA-ijn xevlel.

中国語

保朝魯、賈拉森編（1988）『東部裕固語話語材料』内蒙古人民出版社

保朝魯、賈拉森編、陳乃雄校閲（1991）『東部裕固語和蒙古語』内蒙古人民出版社

布和編著、確精扎布校閲（1986）『東郷語和蒙古語』内蒙古人民出版社

布和等編（1987）『東郷語話語材料』内蒙古人民出版社

査干哈達（1986）「海西蒙古語話語材料　格斯尔伝」『民族語文』1986 年第 2 期. 70-80.

陳乃雄編著、清格尔泰校閲（1987）『保安語和蒙古語』内蒙古人民出版社

陳乃雄等編（1987）『保安語話語材料』内蒙古人民出版社

恩和巴圖編 (1983)『達漢小辞典』内蒙古人民出版社

恩和巴圖等編 (1987)『達斡尔語話語材料』内蒙古人民出版社

甘粛省《格薩爾》工作領導小組辦公室、西北民族学院《格薩爾》研究所編纂 (1996) 『格薩爾文庫』第三巻. 甘粛民族出版社.

李克郁主編（1988）『土漢詞典』西寧：青海人民出版社

清格尔泰等編（1988）『土族語話語材料』内蒙古人民出版社

清格尔泰編著、李克郁校閲（1991）『土族語和蒙古語』内蒙古人民出版社

確精扎布等編（1987）『衛拉特方言話語材料』内蒙古人民出版社,

斯欽朝克圖著（1999）『康家語研究』上海遠東出版社

武達等編 (1984)『巴尔虎土和語材料』内蒙古人民出版社.

蕭素栄 (2007)「辭彙競争、不對輿語法演變：蒙古語否定結構輿時間系統的歷史演變」*Language and Linguistics* 8.2:495-517.

照那斯圖編著 (1981)『土族語簡志』民族出版社.

ペルシア語の否定形式について
Negation in Persian Language

ベヘナム　ジェイ（ジャヘドザデ）（大阪大学）
Behnam JAY (JAHEDZADEH) (Osaka University)

要　旨

　否定表現は文全体が否定の対象になる文否定(sentential negation)と文の一部の要素のみが否定の対象になる構成素否定(constituent negation)に分類される。ペルシア語で構文を否定するのに動詞に否定辞のna-(ne)を追加することが一般的である。肯定文と否定文の違いは否定辞の有無という対称的否定と否定辞の有無以外の要素が関与する非対称的否定が存在する。本稿ではペルシア語における一般的な否定表現を説明し、非対称的な構文が発生する統語的及び意味論的な理由を解説した。また、文の一部の要素を否定する構成素否定の否定辞を挙げ、動詞の否定構造とそれ以外の要素の否定表現の仕組みを比較した。

キーワード： ペルシア語，否定表現，否定辞，時制，アスペクト

1. はじめに

　ペルシア語はインド・ヨーロッパ語族、インド・イラン語派、イラン語派に属する言語で、人口が８千万人以上とされるイランの国語である[1]。Sedigi（2018）によると世界中に１億１千万人のペルシア語話者がいる。話者が主にイラン、アフガニスタン、タジキスタン、そして近年ペルシア語話者の移住先となっているアメリカやカナダなどに分布している。ペルシア語はアフガニスタンでダリー、タジキスタンではタージーキーと呼ばれ、それぞれの国において、相互理解の障

---

[1] アフガニスタン人口の約５割によって使用されていてアフガニスタンにおいてリンガフランカの役割を果たしているダリー語及びタジキスタンのタジク語とイランの公用語であるペルシア語との間に類似点が多いが音韻的、語彙的、統語的差異も存在する。

71

害にならない程度に、文法面・語彙面での相違が存在する。表記法にイランとアフガニスタンではアラビア文字を改善して作られたペルシア文字（32 文字）が、タジキスタンではキリル文字が使われている[2]。

　ペルシア語の歴史は主に三つの大きな時代に分類される。第一はアケメネス朝に使われた言葉で、表記法に楔型文字が使われた古代ペルシア語、第二は表記にパフラヴィ文字などが用いられ、文献や碑文が多く残されているササン朝ペルシアの中世ペルシア語、そして、第三はイスラム到来が始まった 7 世紀以降から現代にわたる近代ペルシア語である。イスラム化してからアラビア語からの特に語彙的な影響が強く、現代ペルシア語の語彙数の 5 割以上がアラビア語由来であるとする研究もある[3]。

2．ペルシア語の形態統語的特徴

　ペルシア語は単文では主語、目的語、動詞の SOV 型が基本的な語順であるが、複文では従属節が本動詞の後に配置されたり、助動詞が先に表れたり、とりわけ口語では間接目的語が本動詞の後に置かれたりするといった SVO 的な特徴も備えている。名詞と形容詞は性の変化がないが、数（単数・複数）によって、動詞は人称、数、時制、ムードによって変化する。ペルシア語に名詞の役割を示す主な格は、対格、与格、奪格、具格、属格、場所格と処格である。主格はゼロ格である。限定された対格を表示する rā は目的語の後に表れ、前置詞である他の格と比べ、異なった性質を有することがよく知られている。動詞には現在語幹と過去語幹が存在し、過去形の場合は過去語幹を、現在形、未来形、命令形及び接続法の場合は現在語幹が用いられる。

　現代ペルシア語では単純動詞よりも複合動詞が好まれる傾向があると思われる。ペルシア語は単純動詞の数が少ないが、主に他動詞を表す kardan (to do) 及び自動詞を指し示す šodan (to become) などのような軽動詞を用いれば数多くの複合動詞の産出が可能である[4]。さらに、ペルシア語には多くの接頭辞や接尾辞が存在

---

[2] 本校で扱うペルシア語はイランのテヘランで使われている標準ペルシア語である。
[3] Gazsi 2011
[4] Lambton (1953: 86), Lazard (1992: 294)

し、動詞の語幹に付加して新たな語を生み出す生産性にすぐれているといえる。

３．先行研究

Khanlari (1980:125-128)は接頭辞の na-によるすべてのペルシア語の動詞が否定形になりうると述べている。1)は Khanlari (1980)から引用した。

1a) divār sefid ast. ((The) wall is white.)

　　Wall white is

1b) divār sefid nist. ((The) wall is not white.)

　　Wall white NEG(V)

また、一つ以上の要素からなる動詞に関しては否定を表す接頭辞は第一要素に次いで現れるとしている。2)は複合動詞の birūn raftan (to go out)であり、birūn (外)という名詞の要素と raftan (行く) という動詞の要素から成り立っている。否定接頭辞が動詞の要素の raftan に追加される。

2) birun na-raft-am. (I did not go out.)

　Out NEG-go(PAST)-1SG

Mahootian (1997:90-92)は、接頭辞の na-を用いて、現在形、過去形、現在完了形、過去完了形、命令形及び接続法を否定にすることが可能だと述べ、接続法で現れる複文を否定にする際、従属節を否定するのに、主節の動詞を否定する必要があると説明している。

3a) Bahrām mi-tunest be-fahm-e. (Bahram could undrestand.)

　　Bahram IMPF-can(PAST) SUBJ-undrestand-3SG

3b) Bahrām ne-mi-tunest　　　be-fahm-e. (Bahram could not undrestand.)

　　Bahram NEG-IMPF-can(PAST) SUBJ-undrestand-3SG

Lazard(1992:162)は一般的に動詞に接頭して否定形をつくる na-にストレス・アクセントが置かれると述べている。

4) na-xarid-am. (I did'nt buy.)

　　NEG-buy(PAST)-1SG

また、母音で始まる語に追加された場合、na-y になると付け加えている。音挿入はペルシア語で好まれない母音連続をさけるためである。

5) na-y-āmad. (He did not come.)

NEG-y-come(PAST)

さらに、未完了(imperfective)を表す接頭辞の mi-の前に表れる場合、ne-と発音されると説明している。

6) ne-mi-xar-am. (I do not buy.)

NEG-IMPF-buy-1SG

また、現在完了形及び過去完了形の場合、na-は本動詞の語幹に、未来形の場合は本動詞ではなく、それに先立つ助動詞に接頭するとしている。以下、7)は現在完了形の例、8)は未来形の例である。

7) na-xaride-am. (I have not bought.)

NEG-buy(PAST STM)-1SG

8) na-xāh-am xarid. (I shall not buy.)

NEG-will-1SG buy (IND)

Roshan. B, Shahla. B(2014)は Miestamo(2005)が標準否定(standard negation)を対称的否定(symmetrical negation)と非対称的否定(asymmetrical negation)に分類した研究に触れ、「ペルシア語の肯定文と否定文は構造的に類似しているが、それぞれ異なった談話的コンテクストを有することから対称的ではない」と結論している。

Mirzaei(2021)は Payne(1985)による否定形式の分類に触れ、ペルシア語に三つの１）接頭辞による否定形式２）否定動詞による否定形式３）否定を表す語による否定形式存在しているとし、接頭辞の na-(ne-)による標準否定は一般的であると述べている。

Mirzaei(2021:230-231)は受け身の場合、否定辞が本動詞ではなく、助動詞の šodan に接頭すると述べている。

9) dide na-šod. ((It) was not seen.)

see (PAST STM) NEG-become (PAST)

アスペクト表現で助動詞の būdan が受け身形と共起した場合でも受け身を表す助動詞の šodan が否定辞を取る。

10) dide na-šode būd. ((It) had not been seen.)

see (PAST STM) NEG-become (PAST STM) be (PAST)

さらに、否定辞がムード及びアスペクト表現に用いられる助動詞の būdan(to be)ではなく、本動詞に接頭するとも説明している。

11) na- rafte būd. (S/he had not gone.)

　NEG go (PAST STM) be (PAST)

また、標準語ペルシア語ではアスペクト表現で用いられる助動詞の dāštan (to have)が否定形で用いられないと述べている 。

以上、ペルシア語の否定表現は先行研究で文法的否定表現と語彙的否定表現の観点から研究されているが、本稿ではペルシア語における否定表現の全体像を説明しつつ、否定接頭辞の na-(ne)と強調詞の ke の共起による否定構造の非対称性を指摘したい。

４．否定表現の手法と形式

　否定は文全体を否定の対象になる文否定(sentential negation)と文の一部の要素のみが否定の対象になる構成素否定(constituent negation)に分類される[5]。文否定には接辞による動詞の否定や禁止表現及び疑問文による語用論的な否定表現を使用する手法がある[6]。

４．１．否定接頭辞による文否定

　先行研究でも延べられているようにペルシア語に多くの否定辞があるが動詞を否定する接頭辞が na（未完了接頭辞の mi-の前に表れる場合 ne と発音される）である[7]。以下、接頭辞の ne-による肯定文が否定文に転化する例文である。

12a) dirūz　　bārān　　bār-id. (It rained yesterday.)

　　Yesterday rain　　rain (PAST)-3SG

12b) dirūz　　　bārān na-bār-id. (It did not rain yesterday.)

　　Yesterday rain NEG-rain (PAST)-3SG

---

[5] (Haegeman 1996:72)など。

[6] ペルシア語における否定構造のもう一つ手法は使用頻度の高い質問文による語用論的な否定表現であるが本稿では紙幅の都合上扱わないことにした。

[7] なお、近代ペルシア語のテキストでは否定接頭辞の ma も用いられたが現代詩などの文学的な作品以外では用いられない。

命令文では否定接頭辞の na- の出現により、本来現在語幹につく接頭辞の be- が現れなくなる。

13a) be-band! (Close it!)

    IMP-close

13b) na-band! (Do not close it!)

    NEG-close

また、上述したように、未完了接頭辞の mi- の前に表れる場合 ne と発音される。

14a) ū Nān mi-xor-ad. (S/he eats Nan.)

    s/he Nan IMPF-eat-3SG

14b) ū Nān ne-mi-xor-ad. (S/he does not eat Nan.)

    s/he Nan NEG-IMPF-eat-3SG

なお、ペルシア語の存在動詞の現在の否定形が nist であるが、否定接頭辞の na- と ast が結合して作られ、定着している[8]。

15a) ū   Ali ast. (He is Ali.)

    He Ali   is

15b) ū   Ali nist. (He is not Ali.)

    He Ali NEG(V)

nisti（無、虚無）は否定コピュラの nist に名詞及び形容詞を派生する接尾辞の「強勢の強い-i」がついてできた語である。上述のように、ペルシア語における一般的な否定表現は動詞に接頭辞の na-(ne-) を加えることによって表現されるが、このような統語的手法を用いてすべてのペルシア語の構文を否定に転化できない。それは意味論的な理由により同じ肯定文の否定表現が言表されなかったり、否定辞が強調詞と共起するという肯定文と否定文との間に否定形態素以外にも差異が存在したりするからである。

---

[8] ペルシア語で否定接頭辞が ni- の形で現れるのは nist 以外の動詞が存在しない。

５．文否定における非対称性

　接頭辞の na-(ne-)による動詞の否定はペルシア語におけるもっとも一般的かつ標準的であるが、先行研究でも述べられているように、非対称的否定もあり、すべての動詞に否定接頭辞のna-またはne-を追加することで否定形式を作ることができない。先行研究で指摘されたペルシア語の文の非対称性と、これまでに指摘されてこなかった強調辞と否定要素の共起による非対称性についてここで解説したい。

５．１．意味論が要因の非対称性

　上述したように、ペルシア語で一部の構造に意味論的な理由から生じる非対称性が存在し、肯定文を一般的な否定表現である na-(ne-)の接頭辞を動詞に追加することで否定表現に転化できない。これらの肯定文の否定形はナンセンスな文になることから出現可能な場面がないと考えられる[9]。

16. ketāb-at rā　　 kojā gozāšt-i? (where did you put your book?)

　　Book-2Sg OBM where put-2Sg

　疑問文の 13)で聞き手が求めている情報は本の場所である。仮にこの疑問文の否定が言表されたらどのような意味が読み取れるのか。もしその否定概念が言表された場合、求められるのは「本がおかれていない場所＝不確定な場所」となるが、日常言語でそのような不確定で価値のない情報が求められるのは想定されないことから否定形がナンセンスな文となる。17)についても同様なことが言える。購入という行動に移されていない＝存在しない花についての感情表現が発される余地もなく否定形式が想定されない。

17) Če gol-hā-ye　　 qašangi xaride bood.

What flower-PL-EZ beautiful buy (PAST STM) be (PAST)

(What beautiful flowers you bought.)

　例18a)の動詞が副詞の nāgahān（suddenly）によって修飾され、動作の突発性に焦点が置かれている。「ドアが開いた」という既成事実があり、「突発性」が問題になる場面を除けば、発生しない動作に当然ながら突発性も存在しないことにな

---

[9] 16)、17)、18a)と 17)は Roshan.B, Shahla. B(2014:163)による例文である。

る。したがって、この構文の否定が副詞のつかない18b)になる。

18a) nāgahān dar bāz šod. (Suddenly the door opened.)

    Suddenly door open become (PAST)

18b) dar bāz na-šod. (The door was not opened.)

    Door open NEG-become (PAST)

否定文と肯定文の間に非対称性が生じているのはアスペクトに関連していることもある。19a)は現在進行形の例である。この構文の否定は単純現在形の19b)である。ペルシア語では助動詞の daštan が用いられる進行形の否定形が存在しない。Miestamo(2005, 2007)の状態性(stative)と否定構造の関連についての説明に従えば、活動的(dynamic)である進行形の否定構造が状態的(stative)となり、否定構造が非対称的となるといえよう。

19a) dār-ad ğazā mi- xor-ad. (S/he is eating (his/her) meal.)

    have-3SG   meal IMPF eat-3SG

19b) ğazā ne-mi- xor-ad. (S/he does not eat.)

     meal NEG IMPF eat-3SG

では、ペルシア語で進行形の否定がまったく言表されないのでしょうか。結論からいうと答えはノーである。英語の進行形の否定20a)をペルシア語にするのに助動詞の daštan を用いる文法的な構造で表現できず、20b) のように、状態性を表す副詞(dar hale …(in the situation of…))を用いて表現できる。「補助動詞の dāštan の場合、状態動詞と共起しないことや否定形が不可能なのは、そもそも発生していない事態はダイナミズムが欠如していることが原因である」と Jahedzadeh（2022:91）でも説明している。

20a) He is not reading a book.

20b) ū dar hāl-e xāndan-e ketāb nist. (He is not currently reading a book.)

    he in status-EZ reading book NEG(V)

21)では焦点が「りんご一キロ」の箇所に当てられているが、発生しない動作の内容に焦点を当てることができないことから否定文が非文になる。

21) emrūz yek kilo sib xarid-am (I bought one kilo of apples.)

    today one kilo apple bought 1Sg

５．２．強調詞の共起による非対称性

さらに、ペルシア語の文における非対称的な否定形式として否定接頭辞と ke[10] の共起を挙げたい。特に口語で、否定接頭辞の na-(ne-)がつく動詞の後に置かれる ke は、否定の意味を強調する。なお ke は名詞句の後に置かれて名詞句を強調することもある。

22) ketāb ke　na-xarid-am. (I did not buy any books.)

　　book EMPH NEG-bought-1SG

23) man ke　　ahmaq nist-am. (I am never stupid.)

　　I　EMPH　　fool　NEG(V)-1SG

ke によって強調された動詞が構造的に非対称的な否定表現となる。なぜならば、否定接頭辞の na-(ne-)を除くだけで正常文にならないからである。同じく、次の例でも否定接頭辞の na-を除けば非文になる。

24a) na-raft-am ke! (I did not go.)

　　NEG-went-1Sg EMPH

24b) *raft-am ke.

　　went-1Sg EMPH

否定接頭辞と共起する ke は相手が想定している概念と異なる際によく使用され、意外性を表す役割を果たしている。下記の文では「ごはんを食べなかった」という概念を強く否定するのに動詞の後に ke が置かれている。

25) A: čerā ğazāt　　-o　na- xord-i? (Why did you not eat your meal?)

　　why meal-2SG OBM NEG-eat (PAST)-2SG

　　B: xord-am ke! (I did eat.)

　　eat (PAST)-1SG EMPH

同様に、下記の会話文では「B がアメリカに行ってきた」ことを前提にしている A の質問に対して、B は ke を否定接頭辞と一緒に用いることでその概念自体を強く否定している。

---

[10] ペルシア語では関係代名詞及び接続詞の役を果たす ke は意味拡張して強調を表すようになっている。

26) A: safar-e Amrikā četor būd? (How was your trip to Amerika?)

  trip- EZ Amerika how be (PAST)

 B: na-raft-am ke! (I did not go (to Amerika).)

  NEG-go (PAST)-1SG EMPH

6．否定の意味を表す動詞を用いての否定表現

　他の言語と同様に、ペルシア語でも否定動詞を用いて、否定文をつくることがある。

27) man az xordan-e qūšt parhiz mi-kon-am. (I avoid eating meat.)

  I from eat (IND)-EZ meat avoid IMPF-do-1SG

28) ū az　harf zadan xoddāri kard. (S/he refused to speak.)

　S/he from speaking avoid do (PAST)

　他に、否定の意味持つ動詞に jelogiri kardan (to prevent sb from...)、emtena` kardan (to refuse)、mamnū` būdan (to be forbidden)などがあり、否定接頭辞を使わずに否定の意味を有し、文全体を否定に転化する。

7．構成素否定

　ペルシア語で文の一部の要素のみが否定の対象になる構成素否定に bi-(without)、pād-(anti-)、na- (no, not)、nā(no, without)、ma(no, not)、bad-(bad, poor)、zedd(anti-)、ğeyr (imossible, anti-)などがあり、名詞及び形容詞の前について否定・反対の意味を作る。zedd や ğeyr はアラビア語由来の否定辞である。ペルシア語の文法書では 200 以上の接尾辞に言及されるが、否定を表す接尾辞や接中辞が一つも存在しないのは注目に値する。また、これらの否定辞はそれぞれ使用頻度が異なるのもいうまでもない。以下いくつかの用例を挙げる。

29a) ū pūl na-dār-ad. (S/he has no money.)

　S/he money NEG- has-3SG

29b) ū bi-pūl ast. (S/he is out of money.)

　without money

30) in sā`at zedde āb ast. (This watch is waterproof.)

　This watch anti water is

31a) kār-e to ensāni nist. (Your act is not humane.)

　　act-EZ you humane NEG(V)

31b) kār-e to ğeyr-e ensāni ast. (Your act is inhumane.)

　　act-EZ you Anti-EZ humane is

8．おわりに

　本稿ではペルシア語における否定形式について統語的及び意味論的な観点か
ら分析を行った。まずペルシア語における文否定と構成素否定の全体像を説明し、
文否定における否定辞の na-(ne)による対称的否定と否定辞の追加のみで構文を
否定に転化できない非対称的否定について説明した。アスペクトが関連する非対
称的否定に進行形に否定がある。助動詞の dāštan (to have)が用いられる文法的な
進行形の否定はそもそも発生していない事態はダイナミズムが欠如することか
ら不可能だと述べた。否定ペルシア語でまた、非対称的否定の一つの手法として
否定辞と強調詞の ke が共起する現象も例を挙げて論じた。また、ペルシア語にお
ける否定の意味を表す動詞を用いての否定表現や名詞及び形容詞の前について
否定・反対の意味を作る構成素否定についても例を挙げて説明した。

略語

1: first person, 2: second person, 3: third person, EMPH: emphasizer, EZ: Ezafeh, IMP:
Imperative, IMPF: imperfect, IND: indicative, NEG: negative, OBM: object marker, PAST:
past, PL: plural, SG: single, STM: stem, SUBJ: subjunctive, V: verb

参考文献

Gazsi, Dènse. 2011. Aabic-Persian Language Contact, *Handbooks of Linguistics and Communication Science*, De Gruyter Mouton. pp: 1015-1021.

Haegeman, L. 1996. *The Syntax of Negation*. Cambridge: Cambridge University Press.

Jahedzadeh, Behnam. 2022. 「ペルシア語の進行表現」『言語の類型論的特徴対照研究会論集』5. 91-106.

Khanlari, Parviz Natel. 1980. *Dastoore Zabane Farsi*. Tehran: Tous Press.

Lazard, Gilbert. 1992, *A Grammar of Contemporary Persian*, Mazda Publishers, Costa Mesa, California. (Translated from French by Shirley Lyons; first published in 1957 as *Grammaire du Persan contemporain*, Klinksieck, Paris.)

Lambton, Ann K.S. 1953. *Persian Grammar*. Cambridge University Press. (Reprinted 2000)

Mahootian, S.H. 1997. *Persian Descriptive Grammars*. London: Routledge. (Translated to Persian by Mehdi Samaei. 1378. Tehran.)

Miestamo, Matti. 2005. *Standard negation: the negation of declarative verbal main clauses in a typological perspective*. De Gruyter Mouton, Berlin and New York.

Miestamo, Matti. 2007. Negation: an overview of typological research. *Language and Linguistics Compass* 1/5, 552-570.

Mirzaei, Azadeh. 2021. Negation in Persian Language. *Persian Language and Iranian Dilects*. 6th year, Vol.1, No.11. 223-247.

Payne, J.R. 1985. Negation. In Timothy Shopen (ed.), *Language Typology and Syntactic Description, vol. i: Clause Structure*. Cambridge: Cambridge University Press, 197–242.

Sedigi, Anousha. Pouneh Shabani-Jadidi. 2018. *The Oxford Handbook of Persian Linguistics*. Oxford University Press.

Roshan.B, Shahla. B. 2014. *Aya har Jomleye Mosbate Farsi yek Nazire Manfi Darad?* " Adab Pajhouhi", (25). 161-177.

現代ヒンディー語の否定表現について
Negative Expressions in Modern Hindi

西岡　美樹（大阪大学）

Miki NISHIOKA (Osaka University)

要　旨

　本稿では、南アジアのリンガ・フランカである現代ヒンディー語の否定表現について、標準否定と非標準否定に分け、言語類型論の観点から概観し、日本語との対照を試みながら考察する。前者では文否定を、後者では否定命令／禁止、極性項目と否定のスコープ、修辞疑問文、否定辞を伴う語彙を扱う。さらに、強調を伴う否定表現として、構成素否定、並びに数量詞を用いた thoṛe hī による否定表現についても考察する。

キーワード : ヒンディー語，否定表現，強調，構成素否定、命題否定

1　はじめに

　インド諸語[1]の否定表現については、Masica（1991 : 389-394）で概要が述べられている。Bhatia（1995 : 5-10）は、南アジア諸語の否定を扱うにあたり、先行研究について詳述している。それによると、先行研究には①伝統的構造文法、②語学教育用のテキストや文法、③現代言語学的な記述の三種類があるという。日本語に引き付けて言えば、おおよそ①国語学的な文法記述のもの、②主に非母語話者向けの語学テキストや語学書、③現代言語学の理論を用いた記述文法、ということになろう。Bhatia（上掲書）は、①や②のような文法では、否定について詳しく扱われておらず、洞察的な考察もなされていないという。実際、同氏も参照している Guru（1978 : 126）はヒンディー語文法の碩学だが、否定や禁止を表す語を avyaya、Shukla（2003 : 52-53）は nipāta

---

[1] インド・アーリア諸語（Indo-Aryan languages）のことを本稿ではこう呼ぶ。

（どちらも不変化詞 'particle' に相当）で扱っているものの、国語学的な記述であるため、当然非母語話者向けの洞察的な観察にはなっていない。②の語学教育的な文法書における否定に関する議論については、Bhatia は主に文中の否定語の分布とその出現位置に関する指摘に留まっていると述べている。実際、現代ヒンディー語の文法記述をしている Kachru（2006：§8.5.3）を見ると、文否定（sentential negation）、構成素否定（constituent negation）、否定の命令（negative imperative）つまり禁止、付加疑問（tag questions）、さらに否定極性項（negative polarity item：NPI）という具合に例を挙げているが、否定語の位置による意味の違いには多少触れているものの、概説的で十分とはいえない。Koul（2009：§4.3.3）も、文否定、構成素否定と、二重否定や「～でもなく、…でもない」のように否定文が連結されたものや、主節・従属節から成る否定についても取り上げているが、非母語話者に分かりやすい具体的な説明がなされているとは言い難い。Agnihotri（2007：第 3 章）もまた、否定語と否定極性項の説明に留まっている。一方、生成文法の枠組みを用いた研究も、Mahajan（1995）、Kumar（2014）など枚挙にいとまがないが、否定極性項の認可条件（NPI licensing）の研究が目立つ。

　このように Less Commonly Taught Languages (LCTL) の一つのヒンディー語は様々なアプローチでの記述や説明がなされてきたものの、日本語母語話者に有用な類型論的あるいは対照研究の観点からなされた記述はほぼ見られない。本稿では、先行研究の知見を踏まえ、否定表現の類型的研究 Payne（1985）、Miestamo（2015）、Hayashi（2022a,b）を参考に現代ヒンディー語の否定表現について概観し、日本語との対照研究の観点から考察を試みる[2]。

---

[2] 本稿での Devanagari 文字の転写法については、International Alphabet of Sanskrit Transliteration（IAST）を基にした ISO 15919 の翻字方式を基本的に用いるが、あまり馴染みのない鼻音（ṅ, ñ, ṇ, n, m）の代替記号 ṃ 並びに鼻母音記号 ṁ については、例文での使用を避け、子音の場合は n, m を、鼻母音化したものは ã, ĩ, ũ, ẽ, õ や ã̃, ĩ̃, ũ̃、二重母音の鼻母音化したものは aĩ と aũ と表記する。また、引用元が示されてない例文は、COSH のものか筆者の作例である。これらの例文は、Dr. Narsimhan、Mr. Pandey に確認していただき、必要に応じて議論をした上で掲載していることを最初にお断りしておく。

1.1 南アジア諸語の否定表現

　ヒンディー語はインド諸語の一つで、主に北インドでリンガ・フランカとして使用されるインド共和国の主要公用語である。インドは多言語国家として名高く、ヒンディー語が置かれている言語環境も複雑で、系統を同じくする姉妹語に囲まれ、さらに北東にはチベット・ビルマ諸語、南はドラビダ諸語が位置しているが、昨今の人の自由な移動やメディアの影響により、常に何らかの形で言語接触に晒されている。先の Bhatia（1995：12）では、インド諸語のサンスクリット語、ヒンディー語、パンジャーブ語、カシミール語、ネパール語、マラータ語と、ドラビダ諸語の一つカンナダ語の否定語（NEG particle）を取り扱っている。Bhatia（1995：17）では、インド諸語は統語的に二つに分類されることが指摘されている。一つは否定語・否定辞を動詞の前に置くもので、ヒンディー語やパンジャーブ語がそれに当たる。もう一つは、否定語・否定辞を動詞の後ろに置くもので、マラータ語やそれに隣接するドラビダ諸語の一つカンナダ語が該当するという。

1.2 ヒンディー語の否定語

　ヒンディー語の否定を表す語は、na、nahĩ、mat の三つである。日本語の「－ない」や禁止の「－な」のような接辞ではないため、本稿では否定語（negative particle/marker）と呼ぶ。平叙文の否定では、na[3]／nahĩ[4]を使用する。命令文の

---

[3] Masica（1991：390-391）は、サンスクリット語由来のこの na は、サンスクリット語では文頭、文中に置けたが、ヒンディー語を含む現存のインド諸語では、前置あるいは接頭辞化、後置あるいは接尾辞化、さらに主動詞と助動詞のような動詞句の間に挿入されるなどの様々なパターンがあり、言語によってはそれらが混在しているため、地域的な特徴は一概には言えないことを指摘している。Bhatia（1995：17）でも、サンスクリット語では語順が比較的自由で、概して na は単文のどこにでも置けるが、好んで出現する位置は動詞の前か文頭であったと例を示して述べている。

[4] Masica（1991：392-393）によると、この nahĩ の語源については主に二つの説がある。一つは na に強調の小詞（助詞またはとりたて詞に相当）hi が合わさったもの、もう一つは na に助動詞の現在形の何かが合わさり縮約されたものという説である。同氏はどちらも支持し、例えば否定語が人称・数により部分的に屈折を起こし、助動詞の位置に置かれるマラータ語のような言語では動詞的な特徴が、否定語が屈折せず、さらに前置されるヒンディー語のような言語では助動詞的に働いているという可能性を示唆している。日本語の「ない」は人称・数では屈折しないが、否定、命令、仮定など

否定つまり禁止には、mat⁵／na を使用する。ちなみに、平叙文と命令文どちらにも使用される na を文末に用いると、日本語の終助詞「ね／よね」や「でしょう」に当たる付加疑問文（tag question）になる。例えば tum āoge na?［you come.FUT.(2)m.pl PTCL］「あんた来るよね？」という具合である。

2 標準否定

2.1 名詞述語文、形容詞述語文

　ヒンディー語の語順は基本的に SOV である。まず、名詞述語文、形容詞述語文の例を挙げる。

(1)　a. aman　　chātr　　　hai/thā/hogā.

　　　　Aman　　student.m　COP.PRS.sg/PSTm.sg/FUT.m.sg

　　　　「アマンは学生だ／だった／だろう。」

　　b. aman　　chātr　　**nahī̃**　　hai/thā/hogā.

　　　　Aman　　student.m　NEG　　　COP.PRS.sg/PST.m.sg/FUT.m.sg

　　　　「アマンは学生では**ない／なかった／ないだろう**。」

(2)　a. aman　　acchā　　hai/thā/hogā.

　　　　Aman　　good.m.sg　COP.PRS.sg/PST.m.sg/FUT.m.sg

　　　　「アマンはよい／よかった／よいだろう。」

　　b. aman　　acchā　　**nahī̃**　　hai/thā/hogā.

　　　　Aman　　good.m.sg　NEG　　COP.PRS.sg/PST.m.sg/FUT.m.sg

　　　　「アマンはよく**ない／なかった／ないだろう**。」

別の指標で屈折し、かつ存在動詞「ある」に取って代わる点では、マラータ語のタイプと類似している。ただし、名詞述語文に現れる断定の助動詞「だ」の場合は、「静かだ」vs.「[静かで] は<u>ない</u>」のように とりたて詞「は」を伴った命題否定になる点は多少異なる。

⁵ Masica（1991 : 389）によると、サンスクリット語の否定命令で使用されていた禁止または嘆願を表す mā が、中西部の姉妹語であるパンジャーブ語、シンド語、カシミール語、グジャラート語に残っており、グジャラート語以外は基本的に動詞の前に置かれるという。

(1)と(2)は、コピュラが現在、過去、未来のそれぞれの時制の例だが、各例のbの通り、否定語はコピュラ動詞の直前に置かれる。なお、未来時制の場合は、コピュラは日本語でいう推量の助動詞相当の働きをする。

2.2 **動詞述語文**

(3)は未来時制の動詞述語文の例である。(3b)の通り、動詞の直前に否定語が置かれる。

(3) a. aman　　krikeṭ　　khelegā.
　　　　Aman　　cricket.m　play.FUT.m.sg
　　　　「アマンはクリケットをする（だろう）。」
　　b. aman　　krikeṭ　　**nahī̃**　khelegā.
　　　　Aman　　cricket.m　　NEG　play.FUT.m.sg
　　　　「アマンはクリケットを**しない**（だろう）。」

次の(4)は、過去時制及びコピュラ[6]が付いた完了時制の例である。(4b)のように、単純過去時制の否定の場合、完了分詞（過去時制（PST）を表す） khelā の直前に否定語が置かれる。現在完了の khelā hai や過去完了の khelā thā も同様で、 khelā の直前に否定語が置かれるのが一般的である。

(4) a. aman　　ne　　krikeṭ　　khelā　　　　（hai/thā）.
　　　　Aman　ERG　cricket.m　play.PFV.m.sg　（COP.PRS.sg/PST.m.sg）
　　　　「アマンは（習慣的に）クリケットをした（して・いる／いた）。」
　　b. aman　ne　　krikeṭ　　**nahī̃**　khelā　　　　（hai/thā）.
　　　　Aman ERG cricket.m NEG　play. PFV.m.sg　（COP.PRS.sg/PST.m.sg）
　　　　「アマンはクリケットを**しなかった**（して・いない／いなかった）。」

---

[6] 本稿では、「だ」及び「いる／ある」に相当するヒンディー語のコピュラ'copula' を、Bhatia（1995）のように AUX/Copula と呼ばず COP と表記している。

(5)は現在時制の例である。ヒンディー語の現在時制は、未完了分詞とコピュラの複合形で表す。否定語は(5b)のように未完了分詞の直前に置かれる。さらに、この現在時制の文を否定する場合、コピュラが削除（＝省略）されることがある。Bhatia（1995 : 25-26、33-35）他、一般的な文法書でも述べられているように、この削除の操作はヒンディー語では任意とされる。

(5)　a. aman　　　krikeṭ　　　kheltā　　　　　　hai/thā.
　　　　Aman　　cricket.m　play.IPFV.m.sg　　　COP.PRS.sg/PST.m.sg
　　　　「アマンは（習慣的に）クリケットをする。」
　　　b. aman　　　krikeṭ　　　**nahī̃**　kheltā　　　　　(hai)/thā.
　　　　Aman　　cricket.m　NEG　play.IPFV.m.sg　(COP.PRS.sg)/PST.m.sg
　　　　「アマンは（習慣的に）クリケットを**しない／なかった**。」

　最後に存在文の(6)を見てみたい。ここの hai はコピュラとしているが、「いる／ある」の存在動詞として使われているものである。(6b)の否定文のコピュラもまた、先例と同じく現在時制「いる」の場合は削除可能である。コピュラが削除された場合、見方によっては日本語の「ある vs.ない」のように否定語が補充形であるようにも見えるが、ヒンディー語ではあくまで現在時制に限られている。

(6)　a. aman　　　kamre　　　　mẽ　　　hai.
　　　　Aman　　room.m.sg.OBL　LOC　COP.PRS.sg
　　　　「アマンは部屋にいる。」
　　　b. aman　　　kamre　　　　mẽ　　　**nahī̃**　(hai)/thā.
　　　　Aman　　room.m.sg.OBL　LOC　NEG　COP.PRS.sg/PST.m.sg
　　　　「アマンは部屋に**いない／なかった**。」

　ここまでヒンディー語の標準否定を概観したが、ヒンディー語は日本語と同じ SOV 語順でも、否定文では動詞の前に否定語が置かれる否定語前置型（NEG＋V）である。また、この否定語は、日本語の否定辞「ない」vs.「な

かった」ように時制・相で語形が変化することはない。

2.3　節／句

　ヒンディー語の節や句に否定語が使用される場合、通常、否定語には na が使用される。以下の(7a)では、名詞句「彼が来ない（こと）」で na が使われている。しかし、(7b)の「夜眠れない（眠気が来ない）」ように na ではなく nahī̃ を使用することもできる。

(7)　a. us=kā　　　　　**na**　　jānā　　acchā　　　hai.
　　　　he=GEN.m.sg　NEG　go.INF　good.m.sg　COP.PRS.sg
　　　　'It is good for him not to go.'

Bhatia（1995：13）[7]

　　　b. rātõ　　　　ko　　nĩd　　　**nahī̃**　ānā　　　ek　　bahut
　　　　night.f.pl.OBL DAT　sleep.f.sg　NEG　come.INF　one　very
　　　　baṛī　　　samasyā　　hai.[8]
　　　　big.f　　　problem.f.sg　COP.PRS.sg
　　　　'(lit.) Sleeplessness at night is a very big problem.'

　次の(8a)及び(8b)は、将来起こる可能性がある事柄に使う動詞の可能形が述語に使用されている例である。

(8)　a. kyā　vo　**na**　jāe?
　　　　Q　he　NEG　go.SBJV.sg
　　　　'May he not go?'

Bhatia（1995：13）

---

[7] 例文の転写法とグロスは筆者によるもの。以下、引用した例はすべて同様である。また、インターネットからのヒンディー語の例文については、システムの問題と紙面の都合上、引用元の URL のみ掲載する。
[8] https://hindi.news18.com/news/lifestyle/health-what-is-insomnia-what-is-the-reason-of-insomnia-in-hindi-4353049.html

b. agar nĩd **na** āe to kyā karẽ upāy
if sleep.f.sg NEG come.SBJV.sg PTCL what do.SBJV.pl way.m
'What should you do if you can't sleep?'

Bhatia (1995 : 13) や Bhatt (2003 : 18) は、動詞の可能形を接続法 (subjunctive) と呼ぶため、本稿でもこのままこの用語を使うが、この動詞形に通常使われるのが否定語 na である。特に(8b)の条件節のような節の中では、基本的にこの na が使われるが、場合によっては nahī̃ が使用されることもある[9]。

3　非標準否定
本節では、非標準否定として、否定命令／禁止、極性項目と否定のスコープ、さらに修辞疑問文を使った否定、強調を伴う否定、最後に否定辞を伴う語彙について観察する。

3.1　否定命令／禁止
ヒンディー語の否定命令も、標準否定と同じく、基本的に動詞の前に否定語が置かれる。まず mat を使った例を挙げる。

(9)　a. **mat**　jāo/jā/jānā!
　　　　NEG　go.IMP/go.STEM/go.INF
　　 b. jāo/jā/jānā　　　　　　　　**mat**!
　　　　go.IMP/go.STEM/go.INF　　　NEG
　　　　'Don't go!'

(9a)が動詞の前に mat が置かれた、ヒンディー語の典型的な禁止を表す文である。動詞の語幹（ここは jā）を使うと最も強い禁止の意味になる。また、不定詞を用いることもできる。不定詞は動名詞と同形だが、これはおおよそ

---

[9] これについては後述する構成要素否定や命題否定との関連が考えられるが、紙面の都合上本稿では取り扱わない。

日本語の「しないこと」のように名詞止めで命令表現ができるのと同じといえる。(9b)の例は、動詞の後に mat を置いたものである。以下の(10)の Premcand の物語 *Do sakhiyā* にも見られる通り、否定語を後置するものもしばしば見られる。

(10) tum ḍaro   **mat,** maĩ   khvāhmakhvāh laṛū̃gā
     you be afraid.IMP NEG   I.NOM   willy-nilly   fight.FUT.1.m.sg
     nahī̃.[10]
     NEG
     'Do not be afraid, I will not fight anyone willy-nilly.'

　ここでは「恐れるな」の命令文だけでなく、後続の平叙文でも否定語が後置されている。以下の(11)は否定語 na を使用した例だが、この場合 mat より丁寧な表現つまり依頼の意味を表す。

(11) a. cintā   **na**   kījie!   / cintā   **na**   karo!
       anxiety   NEG   do.IMP.POL / anxiety   NEG   do.IMP
     b. *cintā   kījie   **na**!   / *cintā   karo   **na**!
       anxiety   do.IMP.POL NEG   / anxiety   do.IMP   NEG
     'Please do not worry.'

　(11a)は、前半が動詞の丁寧な命令形を使用したもの、後半が標準否定と同様に否定語が前置されたものだが、mat の場合と違い、(11b)のように na を動詞の後に置くと、禁止ではなく、先述の付加疑問文（ここは「気にしてください！／気にしてよ！」）になる。したがって、実際は非文というわけではない。これに関連して、否定語を動詞の前に置く場合と後に置く場合の意味が異なる典型例として、ヒンディー語の学校文法の「句読点」の説明で引き合いに出される例を紹介する[11]。

---

[10] https://www.brandbharat.com/hindi/literature/premchand/premchand_do_sakhiyaan4.html
[11] https://psebsolutions.in/pseb-8th-class-hindi-vyakaran-viram-chinh/

(12) a. pakaṛo,   **mat**   jāne   do.

　　　seize.IMP   NEG   go.INF.OBL   give.IMP

　　　'Seize (him), don't let (him) go!'

　　b. pakaṛo   **mat**, jāne   do.

　　　seize.IMP   NEG   go.INF.OBL   give.IMP

　　　'Don't seize (him)! Let (him) go!'

　(12a)は「捕まえろ。逃がすな（行かせるな）。」、(12b)は「捕まえるな。逃が
せ。」で、意味が正反対になっている。これは「読点がなければ意味が正反対
になってしまう」という、句読点の重要性を説く時に使用されるものだが、
使用頻度の問題はともかく、否定語が動詞の前だけでなく後にも置かれうる
という事実を如実に表している例といえる。

3.2　極性項目と否定のスコープ

　ここでは、ヒンディー語の否定語と共起する極性項目（Polarity Item：PI）
について、主だったもの[12]を取り上げて日本語と対照してみたい。

表 1　日本語、ヒンディー語の極性項目

	ヒンディー語		日本語	
	不定代名詞	否定語付き	疑問詞＋か	否定語付き
人	koī	koī (bhī) … nahī̃	誰か	誰も…ない
物／事	kuch	kuch (bhī) … nahī̃	何か	何も…ない
時	kabhī	kabhī (bhī) … nahī̃	いつか	決して…ない
場所	kahī̃	kahī̃ (bhī) … nahī̃	どこか	どこにも…ない

---

[12] Bhatia（1995：84-85）や Kumar（2014::107-108）は ṭas se mas na honā「びくともし
ない／頑として譲らない」や ek phūṭī kauṛī「一つの壊れた貝殻」（「びた一文」に相当）
のような否定の慣用句も扱っているが、ここでは割愛する。

表 1 は、人、物や事、時、場所を表す不定代名詞と否定語 nahī̃ を付けたも
の、それらに対応する日本語である。この表には掲載していないが、副詞 bilkul
「全く」を使った bilkul (bhī)…nahī̃「全く…ない」やその類義語 kadāpi／kadācit
／kataī／hargiz … nahī̃、さらに数詞を使った「一人も／一つも」に相当する
表現もある（後述）。これらに否定語が付くと否定の極性項目になる。不定代
名詞に添加を表す小詞 bhī「も」を付けることも可能だが、その場合、強調の
意味が加わる[13]。以下の表 2 は、肯定の極性項目をまとめたものである。ヒン
ディー語の例から分かるように、否定の極性項目の場合にオプションだった
bhī は、ここでは省略できなくなる。日本語でそのまま置き換えると「誰も」
が想定されるが、そうなると日本語は否定になる。ヒンディー語の肯定の極
性項目に当たる日本語は「誰・で・も」の「で」が入ったものになる。

表 2　日本語、ヒンディー語の肯定極性項目（PPI）

	ヒンディー語	日本語
	不定代名詞＋bhī「も」	疑問詞＋で＋も
人	koī bhī	誰でも
物／事	kuch bhī	何でも
時	kabhī bhī	いつでも
場所	kahī̃ bhī	どこでも

　この不定代名詞のうち koī と kuch は、「いくつかの」や「少しの」ように
少ない数量を表す修飾語（いわゆる形容詞）として使用される。以下に数詞
1 と koī を使った例を挙げる。

---

[13] Sahāy（1997：86）及び Narsimhan 私信。Bhatia（1995：27）は、ヒンディー語、パ
ンジャーブ語、マラータ語、ネパール語ではこの bhī の削除は義務に近いと述べてい
るが、COSH 上でも使用例は多く見つかる。さしずめ、日本語の口語で「だーれも」
のように強勢を置いて発話するのに似て、強調のオプションとして使用されているも
のと推察される。

(13) a. mere   pās   ek   sāikil   hai.

       I.GEN.OBL   side   one   bicycle.f.sg   COP.PRS.sg

       'I have a bicycle.'

   b. mere   pās   sāikil   **nahī̃**   hai.

       I.GEN.OBL   side   bicycle.f.sg   NEG   COP.PRS.sg

       'I do not have a bicycle.'

   c. mere   pās   ek   bhī   sāikil   **nahī̃**   hai.

       I.GEN.OBL   side   one   too   bicycle.f.sg   NEG   COP.PRS.sg

       'I do not have any bicycles.'

   d. mere   pās   koī   (bhī)   sāikil   **nahī̃**   hai.

       I.GEN.OBL   side   any   (too)   bicycle.f.sg   NEG   COP.PRS.sg

       'I do not have any bicycles.'

(13a)は肯定文「自転車が一台ある」、(13b)はその文否定「自転車がない」である。(13c)は「自転車が一台もない」で、(13d)は「どんな自転車もない」という具合に構成素否定となっている。(13c)は日本語の「一人／一つ・も」の「も」と同じで、ek bhī の bhī を削除することはできない。(13d)は不定代名詞 koī または koī bhī のどちらでも可能である。

　これに関連した否定のスコープについては、Bhatia（1995）や Kumar（2014）等によって否定繰り上げ（negative raising）や否定極性項目の認可条件の研究が多くなされている。紙面の都合上、ここではすべてを扱えないので、極性項目と否定語を伴う複文の中の特異なものを紹介するに留める。

(14) a. maĩ   soctā   hũ   ki   vah   **nahī̃**   āegā.

      I   think.IPFV.m.sg   COP.PRS.1.sg   AP   he   NEG   come.FUT.m.sg

      'I think that he will not come.'

   b. maĩ   **nahī̃**   soctā   (hũ)   ki   vah   āegā.

      I   NEG   think.IPFV.m.sg   (COP.PRS.1.sg)   AP   he   come.FUT.m.sg

      'I don't think that he will come.'

(14a)は従属文に否定語がある「私は［彼が来ない］と思う。」、(14b)は主文に否定語がある「私は［彼が来る］と思わない。」の例である。ヒンディー語は、単文の場合は日本語と同じ SOV 語順だが、複文になると英語やその他の印欧諸語に多いパターン、つまり主文が前、従属文が後の構造となる。

次の(15)は、NPI の koī bhī が使用された例である。

(15)　a. mujhe　　lagtā　　　　　　　hai　　　　　ki　koī　bhī　vahā̃　**nahī̃**.
　　　　I.DAT　　be.felt.IPFV.m.sg　COP.PRS.sg　AP　any　too　there　NEG
　　　　āyā.
　　　　come.PST.m.sg
　　　　'It seems to me that nobody came there.'

　　　b. mujhe　　lagtā　　　　　**nahī̃**　ki　koī　bhī　vahā̃　　āyā.[14]
　　　　I.DAT　　be.felt.IPFV.m.sg NEG　AP　any　too　there　come.PST.m.sg
　　　　'It does not seem to me that anyone came there.'

(15a)は「誰も来なかった」という従属文が否定されているが、(15b)は主文に否定語が移動し、従属文内の koī bhī が PPI つまり「誰でも」になっている。(14b)と同じく否定語が主文にある以上、本来「私は［誰かがあそこに来た］とは思わない」となるはずである。しかし、(15b)は、PPI の koī bhī の bhī が削除されることもなく、離れたところにある主文の否定語と呼応した、長距離認可（long-distance licensing）の例になっている[15]。

3.3　否定疑問文と修辞疑問文

ここでは否定疑問文と修辞疑問文の例を観察する。まず、(16)の否定疑問文の例を挙げる。

---

[14] (15b)は、Bhatia（1995：95）からの引用だが、(15a)の方が(15b)より自然なヒンディー語といえる。（Narsimhan 私信）
[15] NPI の統語制限の詳細については Kumar（2014：第 5 章）を参照されたい。

95

(16) a. kyā   tum āj   skūl   jāoge?

　　　 Q   you today   school.m go.FUT.2.m.pl

　　　 'Will you go to school today?'

　　 b. kyā   tum āj   skūl   **nahī̃**   jāoge?

　　　 Q   you today   school.m NEG   go.FUT.2.m.pl

　　　 'Won't you go to school today?'

　(16a) が肯否を問う通常の肯定文の疑問文「あんた、今日は学校に行くの？」
で、(16b)が否定語を伴った否定疑問文「あんた、今日は学校に行かないの？」
となる。否定語の位置は標準否定と同様、動詞の前である。次は、疑問詞 kyõ
「なぜ」と否定語を伴った疑問文の例を挙げる。

(17) a. tum   kyõ   **nahī̃**   jāte   (ho)?

　　　 you   why   NEG   go.IPFV.m.pl (COP.PRS.2.pl)

　　　 'Why don't you go?

　　 b. kyõ   **na**   ham   sāth   calẽ?

　　　 why   NEG   we   together   go.SBJV.pl

　　　 'Why don't we go together?'

　(17a)は、「あんたはなんで行かないの？」という無標の否定疑問文である。
それに対して(17b)は、(17a)と似ているものの否定語 na を使用した修辞疑問
文の例である。ここは「一緒に行かない？」、つまり「一緒に行こう」という
肯定の意味を強調した修辞疑問文となっている。逆に、否定語を使わないも
のが、否定の意味を強調する修辞疑問文になる。以下の(18)がその例である。

(18) a. … kaun   āegā?   koī   **nahī̃**.[16]

　　　 who   come.FUT.m.sg   anyone   NEG

　　　 'Who will come? Nobody (will come).'

---

[16]　https://www.kalnirnay.com/blog/hindi/नसीहत-नहीं-सलाह/

b. lekin yahā̃   jeḍīyū   ko   kaun   jāntā   hai?

but   here   JDU   ACC   who   know.IPFV.m.sg   COP.PRS.sg

koī   **nahī̃**.[17]

anyone   NEG

'But who knows JDU here? Nobody (knows).'

c. yahā̃   kaun   ātā?

here   who   come.IPFV.m.sg

'Who would come here/ Who would have come here?'

(18a)は核家族では親子間で問題が起きた時に仲裁に入れってくれるような人がいないという文脈、(18b)は、グジャラート州議会選挙に人民党統一派（JDU: Janata Dal United）から出馬した候補が、同州での同党の知名度の低さのため大敗したという文脈での使用例である。(18c)については、述語に未完了分詞のみを使用した反実仮想、いわゆる仮定法となっている。例えば、「誰かここに来た？」と聞かれ、「ここに誰が来るんだ？」、「ここに誰が来るわけ？」のようにこの反実仮想で否定を表している。いずれの例も、通常は kaun「誰」に強勢が置かれる[18]。

3.4 強調を伴う否定

ここでは、強調を伴う否定表現について観察する。使用される否定語は、既出の nahī̃ と thoṛī である。後者の thoṛī は、元々 thoṛā［m.sg］「（量的に）少ない」に強調の小詞 hī が付いたものだったと考えられる[19]。Bhatt（2003）は、

---

[17] https://www.jagran.com/gujarat/ahmedabad-gujarat-election-result-nitish-kumar-jdu-candidate-emtiazkhan-sidkhan-got-30-votes-blames-party-23251396.html

[18] Narsimhan 私信。

[19] 19 世紀のヒンドゥスターニー語（≒ウルドゥー語）やヒンディー語の辞書では次のように記述されている。Shakespear（1834 : 568）では、見出し語 thoṛā で 'a little, small' に 'a scarce, few, seldom' のような否定的な語も挙げているが、hī を伴ったものや類似の語句の説明はみられない。Fallon（1879 : 434）は、thoṛā hī, thoṛaī, thoṛāī とし、'Not in the least; not a bit of it; not a jot; never' と否定の意味を掲載している。Platts（1884 : 349）は、thoṛā-hī, thoṛī'ī（俗 thoṛa'ī）とし、'little indeed'、'in no part or degree, not at all, in no wise, never' という否定的な意味を列挙している。

thoṛī を thoṛā の女性形としていたが、Bhatt（2007）ではこれが thoṛe hī の可能性もあることを積極的ではないながらも示唆している[20]。通常、これが主名詞を修飾する場合は「ほんの少しの〇〇」という肯定的な意味になるが、副詞となる斜格形 thoṛe hī あるいは thoṛī になると否定語のようにふるまう。次節では、まず nahĩ による構成素否定の例を観察してみたい。

3.4.1　構成素否定

　Kumar（2014：82-85）は、構成素否定について以下の例を挙げて意味の違いを説明している。

(19) a. maĩ　　　　ām　　　　nahĩ　　　khātā.

　　　I.NOM　　mango　　NEG　　　eat.IPFV.m.sg

　　'I do not eat mango.' / 'I do not eat mango, but I eat something else.'

　　b. maĩ　　　ām　　　　khātā　　　　nahĩ.

　　　I.NOM　　mango　　eat.IPFV.m.sg　NEG

　　'I do not eat mango, but I smell mango.'

　　c. maĩ　　　nahĩ　　　ām　　　　khātā.

　　　I.NOM　　NEG　　　mango　　eat.IPFV.m.sg

　　'I do not eat mango, but someone else may eat mango.'

Kumar（2014：82）

　(19a)は標準否定の「僕はマンゴーを食べない。」だが、これは「僕は（他のものは食べるけれど）マンゴーは食べない。」という解釈も可能という。

---

[20] Bhatt（2007）は内省して 'For me, the thoṛe-hii form is dispreferred. I wonder if the speakers who can use thoṛe-hii can optionally drop the -hii and just use thoṛe also.' と述べている。McGregor（1993：471）の辞書では、thoṛā hī と thoṛe hī に 'little indeed'、'by no means' を意味として掲載し、自身の文法書 McGregor（1995：185）では、thoṛe hī の例を挙げている。ヒンディー語の教科書の定番 Snell & Weightman（2010：129-130）では、会話例で thoṛe（hī なし）を否定表現で用いている。つまり、thoṛe 単独でも使用できることが分かる。前掲の辞書の記述も考慮すると、thoṛā hī から thoṛaī/ thoṛāī > thoṛi'ī > thoṛī のように融合し、一方 thoṛe hī は、融合形の thoṛaī, thoṛa'ī 等から ai->e ＋ hī（小詞）と誤認されて生じたのではないかと推察される。

つまり、否定語が取り立てて否定しているのは直前の目的語になる。(19b)
は文末に否定語が置かれている例だが、これも同じく取り立てて否定してい
るのは直前の「食べる」である。英訳にもある通り、例えば「嗅ぐ」と対比
して「僕はマンゴーを（嗅ぎはするが）食べはしない。」の［食べ＋は
（や）＋しない］のように、いわば体言化した動詞「食べ」を取り立てて否
定していると捉えることができる。さらに(19c)は、主語の「僕」を取り立
てて否定した例である。日本語ならば「僕は」の「は」に強勢が置かれ、
「僕はマンゴーを食べないけど（他の誰かは食べるかもしれないけれど）
…」のように、文末に逆接の接続語を付け、含みを持たせるものに相当する
といえる。

3.4.2 **否定の thoṛā hī/ thoṛe hī/ thoṛī**

Bhatt（2007：1）では、few/little つまり thoṛī を使った否定表現法が南アジ
アの言語研究ではあまり研究されていないと述べているが、それは本邦でも
同様である。ここでは、紙面の許す範囲でこの否定表現について詳述する。
まず、thoṛā/thoṛī［m.sg/f］はいわゆる形容詞として名詞を修飾する。例えば
thoṛā pānī［m.sg]「少しの水」や thoṛī cāy［f.sg]「少しのお茶」のように名詞
句を形成する。thoṛe は［m.pl］か［OBL(adverbial)］になるが、可算名詞には
あまり使われないため、副詞として機能していると理解できよう。

(20) a. (yah)　sunne　　　　mẽ　　**thoṛā**　　acchā　　　lagtā
　　　(this)　hear.INF.OBL　LOC　little.m.sg　good.m.sg　feel.IPFV.m.sg
　　　hai.
　　　COP.PRS.sg
　　　　'It sounds a little nice.'

　　b. (yah)　sunne　　　　mẽ　　**thoṛā**　　**hī**　　acchā
　　　　(this)　hear.INF.OBL　LOC　little.m.sg　PTCL　good.m.sg
　　　lagtā　　　　　　hai.
　　　feel.IPFV.m.sg　　COP.PRS.sg
　　　　'It just sounds a little nice.'

c. (yah)   sunne   mẽ   acchā   **thoṛe hī** / **thoṛī**

(this)   hear.INF.OBL   LOC   good.m.sg   little.OBL PTCL/ little.f

lagtā   hai

feel.IPFV.m.sg   COP.PRS.sg

'It doesn't sound good at all.'

(20a)は「少しよい」、(20b)は「ほんの少しよい」のように肯定的な意味だが、(20c)のように thoṛe hī または thoṛī が名詞の後にくると、「全然〜ない」に相当する否定になる。実際、thoṛe hī だけでなく thoṛā hī の例も見られる。

(21) paisā   hameśā   **thoṛā**   **hī**   hotā   hai,

money.m.sg   always   little.m.sg   PTCL   be.IPFV.m.sg   COP.PRS.sg

kyõki   ummīdẽ   hameśā   us=se   zyādā   kī

because   expectation.f.pl   always   that.OBL=ABL   much   GEN.f

hotī   haĩ.

be.IPFV.f   COP.PRS.pl

'Money is always little because expectations are always more than that.'

(22) maĩ   akelā   **thoṛā**   **hī**   thā.   gãv   ke

I.NOM   alone   little.m.sg   PTCL COP.PST.m.sg   village.m   GEN.m.pl

aur   pãc   bhī   to   the.[21]

other   five   too   PTCL   COP.PST.m.pl

'I was not alone. There were other Panches of the village as well.'

(23) hamẽ   kār   calānī   sīkhnī   hai,   moṭar   mekenik

we.DAT   car.f.sg drive.INF.f   learn.INF.f COP.PRS.sg   motor   mechanic

thoṛā   **hī**   bannā   hai!   hai   na?[22]

---

[21] Premcand (1961) *Godān.* なお、これは 1936 年に発表された作品とされるが、Machida (2012) も指摘しているように、この作家の作品も様々な出版社から多くの版が出ており、中には改変が加わっているものも見られる。したがって、この版も作品発表当時の言語を反映していない可能性があることを付記しておく。

[22] https://mahaanindia.blogspot.com/2012/10/know-about-camera-and-photography.html

little.m.sg PTCL become.INFm.sg   COP.PRS.sg   COP.PRS.sg   NEG

'We have to learn to drive a car, not to become a motor mechanic! Isn't it?'

(21)は、述語形容詞の否定的な意味「お金はほんの少ししかない」である。(22)と(23)が否定語としての機能をもつ例で、それぞれ nahī̃ を使用することも可能である。Bhatt（2007）は、thoṛī が構成素否定で nahī̃ と類似した位置に来ることを指摘し、ヒンディー語母語話者としての直感で'The negation contributed by *thoṛii* can only deny propositions that have already been asserted in the discourse.' と述べている。これを考慮すると、日本語ならば、普通の「ない」ではなく、「こと／わけ／はず＋ない」の類の命題を否定するものか、「N で／A く＋は＋ない」や「V し＋は＋しない」」のような品詞を取り立てて否定するもの、あるいは確認、強調等を表す終助詞や強勢もしくは抑揚を利用した強調を付加していると考えられる。例えば、(22)は「俺一人じゃ（あ）なかった（んだ）」、(23)も「整備士なんかになるんじゃない（んだ）」のように、である。続いて thoṛe hī を使った例を見てみよう。

(24) maĩ   to   sah   letā   hũ,   khasam
I.NOM   PTCL   bear.STEM   take.IPFV.m.sg   COP.PRS.1.sg   Khasam
thoṛe   **hī**   sahegā.[23]
little.OBL   PTCL   bear.FUT.m.sg
'I can bear it, Khasam will not.'

(25) haṛtāl   na   karne   se   hamārī   kuch   hāni
strike.f.sg   NEG   do.INF.OBL   INST   our.f   some/any   loss.f.sg
thoṛe   **hī**   hogī.
little.OBL   PTCL   COP.FUT.f.sg
'If we don't go on strike, we won't have any loss.'

(24)では、「僕」が肯定文の主語、「カサム」が否定文の主語である。これ

---

[23] Premcand (1961) *Godān.*

らが対比関係にあるため、「僕は」に当たるヒンディー語の主語にも対比を表す小詞 to が付いている。(25)では、NPI の kuch「少しの」と否定語 nahī̃ との呼応「少しも…ない」さながらの構造になっている例である。さらに、以下のように thoṛī hī の例も見られる。

(26) koī   zabaradastī   **thoṛī**   **hī**   hai,   āp=kī
     any   coercion.f.sg   little.f   PTCL   COP.PRS.sg   you=GEN.f
     marzī   hai.[24]
     consent.f.sg   COP.PRS.sg
     'This is not coercion, it is your choice.'

(27) ye   koī   āj   kī   bāt   **thoṛī**   **hī**   hai,
     this   any   today   GEN.f   thing.f.sg   little.f   PTCL   COP.PRS.sg
     hazārõ   sālõ   se   yahī   calā
     thousand.m.pl.OBL   year.m.pl.OBL   ABL   this.EMPH   move.PFV.m.sg
     āyā   hai   is   deś   mẽ.[25]
     come.PFV.m.sg   COP.PRS.sg   this.OBL   country.m   LOC
     'This is not a matter of today, this has been going on in this country for thousands of years.'

(28) rone-kalapane   se   tumhārī   bahan   vāpas
     cry.INF.OBL-be.distressed.INF.OBL   INST   your.f   sister.f.sg   back
     thoṛī   **hī**   ā   jāegī?[26]
     little.f   PTCL   come.STEM   go.FUT.f.sg
     'Will your sister come back by crying and feeling sad? (=Your sister will not come back by crying and feeling sad.)

(26)と(27)にも NPI の koī と否定語 nahī̃ との呼応「何も…ない」さながらに、thoṛī hī が否定として機能している。(28)は NPI の例ではないが、構成素

---

[24] https://www.hindisamay.com/contentDetail.aspx?id=2514&pageno=1
[25] https://rajivdixitspeech.blogspot.com/2013/08/blog-post_28.html
[26] http://www.hindisamay.com/contentDetail.aspx?id=1347&pageno=1

否定とすれば、「(泣いて悲しんでも) 戻っては来ないでしょう?」や「帰って来やしないでしょう?」のように「妹が戻ってくる／帰ってくる」の命題自体あるいは「帰ってくる」の述語動詞の部分を取り立てて否定している例と考えられる。最後に thoṛī のみの例を挙げる。

(29) rūs   dakṣiṇ mẽ **thoṛī** hai.   vo to   uttar mẽ hai.
    Russia south   LOC little   COP.PRS that PTCL north LOC COP.PRS
    '(lit.) Russia is not in the south. It is in the north.'

(30) mere   pās   sāikil **thoṛī** hai.   miki ke   pās   hai.
    my.OBL side   bicycle little   COP.PRS Miki GEN.OBL side COP.PRS
    'I do not have a bicycle, but Miki has. (=It is not me that has a bicycle. It is Miki.'

(29) は日本語で言えば「ロシアは南にあるんじゃなくて、北にあるの。」、(30)も「私が自転車をもっているんじゃなくて、ミキがもっているの。」[27]に近い表現である。先述した Bhatt (2007 : 7) は、自らの直感を基に thoṛī の使用条件を二点挙げ定式化している。一つは「前提 : 命題 (p) は直前の談話で主張されている」、もう一つは「断言 : p は偽である」である。(29)の p は「ロシアは南にある」、(30)の p は「私は自転車をもっている」だが、これら p が「そうではなくて」の「そう」に埋め込まれて否定されている、つまり「p ではない」のである。したがって、日本語の場合「のではなくて」や口語体の「んじゃなくて」のような命題否定を充てるのが妥当といえる。

3.5 否定辞を伴う語彙

日本語の「不／非／無」のような否定用の接頭辞と同様、ヒンディー語では、否定を表す接頭辞を付加して否定の語彙を形成するのが一般的である[28]。語種によってさまざまな接頭辞があり、また、歴史的にもさまざまな段階で

---

[27] (29)及び(30)は Narsimhan 提供。英訳及び邦訳は筆者との議論の上での訳例。
[28] 詳しくは Guru (1978 : 281-287) やヒンディー語文法の文法項目 upsarga を参照。

103

語形成が行われてきたため、語形成のパターンも複雑である。紙面の都合上、ここでは分かりやすい例のみを挙げる。例としては、サンスクリット語の否定辞 an- を用いた ādar／anādar「尊敬／不敬」、否定辞 a- の vidyā／avidyā「知識／無知」、否定辞 niḥ- (nis-/nir-) による、śulk／niḥśulk「料金／無料」、sandeh／nissandeh「疑い／疑いのない」、doṣ／nirdoṣ「(有) 罪／無罪」である。アラビア・ペルシャ語の語彙では、否定辞 nā- の khuś／nākhuś「うれしい／うれしくない」、否定辞 be- の izzat／beizzat「尊敬／不敬」、否定辞 lā- の parvāh／lāparvāh「注意／不注意」、kānūnī／ġair-kānūnī (gairkanūnī)「合法的な／不法の」等がある。また、形容詞 virodhī「反対の」との複合語 yuddh／yuddh-virodhī (yuddhvirodhī)「戦い／戦いに反対の＝反戦の」や samāj／samāj-virodhī (samājvirodhī)「社会／社会に反する＝反社会的な」というものもある。

4 おわりに

　本稿では現代ヒンディー語の否定表現について、標準否定と非標準否定に分けて日本語と対照し考察した。日本語は動詞の後に否定辞を付加するが、ヒンディー語は否定語を動詞の前に置くのが標準否定となる。ヒンディー語学の教科書では、否定語を前置する標準否定及び否定命令が専ら取り上げられるが、非標準否定の例を見ると、否定語 nahī̃ が主語、目的語、述語等の構成素に後置される。(12) で観察した禁止の場合の否定語の後置も、例えば「捕まえるな vs. 捕まえるんじゃない」のように構成素否定や命題否定と関連している可能性もある。また、口語に限られるとはいえ、否定語の地位を確立している thoṛī については、一見 nahī̃ と同じ構成素否定をしているようだが、Bhatt（2007）は、thoṛī は nahī̃ と比べて強調の意味が強いこと、何かの前提がなければ使えないこと、さらに「何人か／いくつか」のような PI がある文では thoṛī は使えないこと等々、使用上の制約を指摘している。本稿では、この thoṛī について日本語に照らし、とりたて詞で名詞や体言化した動詞を取り立てた否定、あるいは命題自体を否定する表現に相当する可能性があることを指摘したが、上述の細かな使用条件も加味して、今後さらに検証する必要があろう。

省略記号

　本稿の例文で使用した省略記号は、基本的に Leipzig Glossing Rules （https://www.eva.mpg.de/lingua/pdf/Glossing-Rules.pdf）に従っている。ここに掲載されていないものは次の通りである。AP = appositive、EMPH = emphatic、POL = polite form、PTCL = particle。なお、各語の人称・性・数は形態的に明示されているものだけ付与している。

謝辞

　本研究の成果の一部は、JSPS 科研費 JP 20K00542 の助成による。Dr. Ranjana Narsimhan（University of Delhi）と Mr. Vikas Pandey（Amazon India）には例文の英訳や邦訳の確認や助言をいただいた。ここに心より感謝申し上げたい。

参照文献

Agnihotri, Rama Kant. (2007) *Hindi: An Essential Grammar (Routledge Essential Grammars)*. London: Routledge.

Bhatia, Tej K. (1995) *Negation in South Asian Languages*. Patiala: Indian Institute of Language Studies.

Bhatt, Rajesh. (2003) Negation and Negative Polarity. 参照日: 2023 年 6 月 20 日, URL: Topics in the Syntax of the Modern Indo-Aryan Languages: https://web.mit.edu/rbhatt/www/24.956/neg.pdf. [Handouts]

----. (2007) Little or Nothing. 参照日: 2023 年 7 月 13 日, URL: Papers: Rajesh Bhatt, Linguistics, The University of Massachusetts at Amherst: https://people.umass.edu/bhatt/papers/bhatt-mcgill-little.pdf. [Handouts]

Fallon, S. W. (1879) *A New Hindustani-English Dictionary, with Illustrations from Hindustani Literature and Folk-lore*. Banaras, London: Printed at the Medical Hall Press; Trubner and Co. 参照日: 2023 年 July 月 8 日, URL: https://dsal.uchicago.edu/dictionaries/fallon/.

Guru, Kāmtāprasād. (1978 (2035 Vikram Saṁvat)) *Hiṁdī Vyākaraṇ*. Vārāṇasī: Nāgarīpracāriṇī Sabhā.

Kachru, Yamuna. (2006) *Hindi*. Amsterdam/Philadelphia: John Benjamins Pub Co.

Koul, Omkar. (2009 [2008]) *Modern Hindi Grammar*. Delhi: Indian Institute of Language Studies, [First Indian Reprint].

Kumar, Rajesh. (2014 [2006]) *The Syntax of Negation and the Licensing of Negative Polarity Items in Hindi (Outstanding Dissertations in Linguistics)* (Paperback 版). New York & London: Routledge.

Hayashi, Norihiko. (2022a) Negation in the Sino-Tibetan Context--A Brief Introduction--. In Hayashi, Norihiko, Ikeda, Takumi (eds.), *Grammatical Phenomena of Sino-Tibetan Languages 5: Diversity of Negation*, pp.1-39. Kyoto: Institute for Research in Humanities, Kyoto University. 参照日: 2023 年 7 月 6 日, URL:https://repository.kulib.kyoto-u.ac.jp/dspace/bitstr eam/2433/275705/1/Sino.Tibetan.lang_5_001.pdf.

----. (2022b). アジア諸語における否定現象の類型的特徴における諸問題. オンライン:言語の類型的特徴対照研究会第 20 回大会, 2022 年 12 月 3 日. [講演資料]

Machida, Kazuhiko. (2012 年 3 月 23 日) PROJECT: Premchand 2010. 参照日: 2023 年 8 月 6 日, URL:ILCAA: http://www.aa.tufs.ac.jp/~kmach/hindi/premcha nd/mansarovar/mansarovar.htm.

Mahajan, Anoop K. (1990) LF Conditions on Negative Polarity Licensing. *Lingua*, Vol. 80, pp. 333-348.

Masica, Colin P. (1991) *The Indo-Aryan Languages*. Cambridge: Cambridge University Press.

McGregor, R. S. (1993) *The Oxford Hindi-English Dictionary*. Oxford: Oxford University Press.

----. (1995). *Outline of Hindi Grammar*, 3rd ed. Oxford: Oxford University Press.

Miestamo, Matti. (2015) Negation. In Aikhenvald, Alexandra Y., Dixon, Robert M. W. (eds.), *The Cambridge Handbook of Linguistic Typology*, pp. 405‐439, Cambridge: Cambridge University Press.

Nishioka, Miki, Lago Language Institute. (2016-2022) Corpus of Spoken Hindi (COSH) and COSH Conc, URL: https://www.cosh.site/.

Nishioka, Miki. (2022) COSH UD Treebank, URL: https://treebank.cosh.site/.

Payne, John. (1985) Negation. In Shopen Timothy (ed.), *Language Typology and Syntactic Description. Vol. 1: Clause Structure*, pp. 197-242. Cambridge: Cambridge University Press.

Platts, John, T. (1884) *A Dictionary of Urdu, Classical Hindi, and English*. London: W. H. Allen & Co. 参照日: 2023 年 6 月 3 日, URL: https://dsal.uchicago.edu/dictionaries/platts/.

Premcand. (1961[1936]) *Godān*. Ilāhābād: Lo Jarnal Pres. 参照日: 2023 年 7 月 4 日, URL: https://archive.org/details/in.ernet.dli.2015.489953/page/n7/mode/2up.

Sahāy, Caturbhuj. (1997) Hiṁdī kī Sārvanāmik Vyavsthā. *Gaveṣṇā*, 70, pp. 67-96, Āgrā: Keṁdrīy Hiṁdī Saṁsthān.

Shakespear, John. (1834) *A dictionary, Hindustani and English: with a copious index, fitting the work to serve, also, as a dictionary of English and Hindustani*, 3rd ed., much enl. London: Printed for the author by J.L. Cox and Son: Sold by Parbury, Allen, & Co. 参照日: 2023 年 7 月 9 日, URL: https://dsal.uchicago.edu/dictionaries/shakespear/.

Shukla, Umesh Chandra. (2003) *Hindi Vyakaran*. New Delhi: Vani Prakashan.

Snell, Rupert, Weightman, Simon. (2010) *Complete Hindi: A Teach Yourself Guide (Teach Yourself Language)*. US: McGraw-Hill.

University of Chicago. (2022) *Combined Hindi Dictionaries Search*. 参照日: 2023 年 5 月 13 日, URL: Digital Dictionaries of South Asia: https://dsal.uchicago.edu/dictionaries/hindi/.

シンハラ語の否定
Negation in Sinhala

宮岸　哲也（安田女子大学）

Tetsuya MIYAGISHI (Yasuda Women's University)

要　　旨

　シンハラ語には複数のタイプの否定辞があり、それぞれは統語的なふるまいや、文体的な違い等により分類できる。単純否定辞は口語的な否定表現に用いられ、動詞の焦点形に後置される。否定接頭辞は文語的な否定表現に使われる傾向があるが、否定接頭辞をとる動詞が従属節の中にある場合は、口語表現でも用いられる。焦点否定辞は否定の名詞述語文を作るが、動詞につく場合は叙述形に後置され、文全体を否定のスコープに取り込むことができる。

キーワード：　単純否定辞、否定接頭辞、焦点否定辞、焦点形

1.　はじめに

　シンハラ語はインド・アーリア語派インド語群に属する、話者人口 1400 万程度のスリランカ民主社会主義共和国の国語の一つである。音韻体系は/a/, /æ/, /i/, /u/, /e/, /o/の 6 母音と/k/, /c/, /ṭ/, /t/, /p/, /kh/, /ch/, /ṭh/, /ph/, /g/, /j/, /ḍ/, /d/, /b/, /gh/, /jh/, /ḍh/, /dh/, /bh/, /n/, /ñ/, /ṇ/, /n/, /m/, /ᵑg/, /ⁿj/, /ⁿḍ/, /ⁿd/, /ᵐb/, /y/, /r/, /w/, /ḷ/, /ll/, /h/, /ś/, /ṣ/の 39 の子音を持つ。基本語順は SOV で、格は名詞変化や接辞により標示される。シンハラ語の包括的な記述研究や概説書として、英語で書かれたものには、文語シンハラ語では Gair and Karunatilaka (1974) があり、口語シンハラ語では、Gair (1970)、Karuntatillake (1998)、Chandralal (2010) などがある。日本語で書かれたものには、野口 (1984) や、かしゃぐら通信 (2005、2011) がある。

　本稿では、シンハラ語の否定について詳細に記述し、否定の類型的研究やシンハラ語母語話者に対する日本語教育に資するデータを提供したい。

2. 否定表現の手法と形式

シンハラ語の否定は、基本的に否定辞によって表される。否定辞は複数存在し、その要因には、文語から口語への音韻変化、他の要素との結合による形態的変化、サンスクリット語やパーリ語からの借用によるものがある。これらの要因が、単独、もしくは複合的に絡み合い、ダイグロシア的状況にある現代のスリランカにおいて、様々な形式の否定辞が用いられる。

2.1 単純否定辞 *nææ / næhæ / nætə*

まず、動詞述語文を単純に否定する否定辞として、*nææ*、*næhæ*、*nætə* がある。*nææ* は専ら口語で用いられるが、*næhæ* は正式な場面での口語や文語で用いられる (Gair and Karunatilaka 1974: 288, かしゃぐら通信 2011: 32)。*nætə* は基本的に文語で、この形式で文が終わるのは文語表現に限られる。なお、これらの否定辞の前にくる動詞は全て FOC（焦点形）に変える必要がある。

1) a. *dæn laməyaa yaapənee-ṭə   yanəwa.*   (Karunatillake 1998: 24).
   今　子ども　ジャフナ-DAT　行く「子どもは今ジャフナに行く。」

   b. *dæn laməyaa yaapənee-ṭə   yanne   næær.*   (Karunatillake 1998: 24).
   今　子ども　ジャフナ-DAT　行く.FOC　ない
   「子どもは今ジャフナに行かない。」

2) *api   looka kusəlaane-ṭə   yanne   næhæ.*
   私達　ワールドカップ-DAT　行く.FOC　ない
   「私達はワールカップに行かない。」 https://divaina.lk/

3) *maa emə   paasælə-ṭə yanne   nætə.*   (Gair and Karunatilaka 1974: 95)
   私　その　学校-DAT　行く.FOC　ない「私はその学校に行かない。」

nætə が口語表現に現れるのは、それ自体が形態的に変化する場合である。4) は疑問詞と共起するため焦点形の *nættee* に、5) は否定辞を副詞的に用いるため *nætuwə* の形式に、6) は名詞を修飾するため *næti* の形式に変わっている。このような形態変化は *næær* と *næhæ* には見られない。

4) *æyi   mahində   gedərə yanne   nættee ?*

なぜ マヒンダ 家   行く.FOC ない.FOC

「なぜマヒンダは家に帰らないの？」

https://www.youtube.com/watch?v=jd--ahaajmk

5) *pantiyə-ʈə   yanne   nætuwə igenə gannə amaaruyi.* (Karunatillake 1998: 202).

授業-DAT 行く.FOC なしに 学ぶ.INF 難しい

「授業に行かずに学ぶのは難しい。」

6) *kaɖee yanne   næti   roohita*

店   行く.FOC ない.VA ローヒタ「店に行かないローヒタ（人名）」

https://www.facebook.com/watch/?v=1429765420823611

　なお、*nætə* は元々否定接頭辞の *no* が存在の疑似動詞 *ætə* に結合したものである (Gair and Karunatilaka 1974: 28)。*ætə* にも *ættee*（焦点形）、*ætuwə*（副詞形）、*æti*（名詞修飾形）が存在し、*nætə* が文法的機能の違いによって語形変化するのは、この疑似動詞の変化によるものと考えられる。従って、否定接頭辞自体は機能的な違いで変化しない。

　*næ*æ、*næh*æ、*nætə* は、述語として単独で用いられると有生物と無生物の不在を表す。存在を表す場合は、日本語と同様、有生と無生により存在動詞を使い分けるが、不在を表す場合は日本語と異なり、有生と無生の区別がない。

7) a. *mee   gam-ee   huⁿgak minissu innəwa.* (Kariyakarawana 1998: 49)

　　この 村-LOC 多くの 人々 いる「この村には多くの人々がいる。」

　b. *mee   gam-ee   eccərə   minissu næ*æ. (Kariyakarawana 1998: 49)

　　この 村-LOC そんなに 人々   ない「この村にそんなに人はいない。」

8) a. *mee   gam-ee   iskoolə́y-ak tiyenəwa.* (Kariyakarawana 1998: 49)

　　この 村-LOC 学校-INDF ある「この村には学校がある。」

　b. *mee gam-ee   iskoolə́y-ak   næ*æ. (Kariyakarawana 1998: 49)

　　この 村-LOC 学校-INDF ない「この村には学校がない。」

2.2 否定接頭辞　*no*

　否定接頭辞の *no* は、口語と文語の双方において様々な動詞に結合する (Gair and Karunatilaka 1974: 27、Karunatillake 1998: 223)。否定接頭辞 *no* を持つ動詞は、基本的に様々な機能により語形変化するが、特に口語では、動詞の非定形 (non-finite form) とともに使われることが多い (Karunatillake 1998: 223)。そのため、否定接頭辞 *no* を持つ動詞で文が終わる場合は、9)のように文語であるのが一般的である。

9) *mamə wii gowitæn no-kərə-mi.*　(Gair and Karunatilaka 1974: 27)＜文語＞
　　私　稲　耕作　NEG-する-1.SG　「私は稲作をしない。」
10) *apə　no-yanne　　piriweṇə-ṭə-yə.* (Gair and Karunatilaka 1974: 27)＜文語＞
　　私達 NEG−行く.FOC 寺子屋-DAT-PM　「私達が行かないのは寺子屋だ。」
11) *eyaa liyumə no-liyaa　　gedərə giya.* (Karunatillake 1998: 223)＜口語＞
　　彼　手紙　NEG-書く.PP 家　　行く.PST
　　「彼はメッセージを残さないで、家に帰った。」
12) *daridrətaawə nisaa paasal no-yənə　　pirisə-ṭə　　mudal*＜口語＞
　　貧困　　　ため 学校　NEG-行く.VA 人々-DAT お金
　　「貧困のため学校に行かない人々にお金を」
　　　　　　　　　　　　　　　　　　https://archives1.dinamina.lk/2017/09/02/

2.3 焦点否定辞　*nemeyi ／ nemee ／ neweyi ／ newi ／noweyi ／ nowee*

　否定辞 *nemeyi* を Gair and Paolillo (1998: 95) は focus negator と呼んでいるので、ここではそれに倣い焦点否定辞と呼ぶことにする。この焦点否定辞は、元々否定接頭辞 *no* と動詞 *wenəwa*（なる）が結合したもので、13) のように三人称形式 *nowee / noweyi* をとることで、否定の名詞述語文[1]を作る (Gair and Karunatilaka 1974: 28)。この名詞述語文の否定形式は口語では、14) のように *neweyi* が用いられたり (Chandralal 2010: 13、かしゃぐら通信 2011: 33)、15)

---

[1] Gair and Karunatilaka (1974: 28) では等式文 (equational sentences) の否定と述べているが、本稿では名詞述語文 (nominal predicate) に統一する。

のように *nemeyi* が用いられたりする（Karunatillake 1998: 69）。14) では否定辞が後に続く動詞と一体化した形態素となり、15) では更に動詞も元の形態を留めない程度に一体化が進んでいる。Kariyakarawana (1998: 49) は上記の形態に加え、*nemee* や *newi* も挙げて、これらが方言による違いだと述べている。

13) *meyə kuuḍaa gam-ak   no-wee.* (Gair and Karunatilaka 1974: 28)

 これ 小さい 村-INDF ない-3.SG 「これは小さい村ではない。」

14) *eyaa guruwərəy-ek neweyi.* (Chandralal 2010: 13)

 彼 教師-INDF ない 「彼は教師ではない。」

15) *meeka bas ek-ak nemeyi.* (Karunatillake 1998: 69)

 これ バス 1-INDF ない 「これはバスではない。」

焦点否定辞は、動詞につく場合も見られるが、それについては、否定のスコープの中で見ていくことにする。

2.4　語彙的否定接頭辞

否定の接頭辞としては、*a*、*nir*、*ni*、*nu* のように、*no* 以外にも数多く存在する。これらは、サンスクリット語やパーリ語に由来すると考えられる (Gunasekara 1891: 317)。

16) a. *a-pirisidu* b. *a-kæmati* c. *a-bhaagyæyə*

 不-衛生   不-好き   不-幸せ

 「不衛生」   「嫌い」   「不幸せ」

17) a. *nir-dooṣə* b. *nir-bhayə* c. *nir-blajji*

 不-過失   不-恐れ   不 恥

 「正しい」   「恐れ知らず」 「恥知らず」

18) a.*ni-kasəḷə* b. *ni-kleeśii* c. *ni-garuwə*

 不-汚れ   不-悪意   不-名誉

 「清潔な」   「純粋な」   「不名誉」

19) a. *nu-durə*   b. *nu-puhuṇu*   c. *nu-rusnaa*

    不 遠い   不-熟練   不-好みの

    「近所」   「未熟な」   「忌まわしい」

3.　否定辞の現れる位置

　前節でも述べたが、否定辞の現われる位置は、動詞語根に対して、否定辞が前置される場合も、後置されるもある。前置される場合は、否定接頭辞の *no*、後置される場合は否定辞の *nœœ* や *nœhœ* 等が用いられる。両者には意味的な違いではなく、文体的な違いがある。20) は、インターネットのニュース記事から得られた文語的な文であり、述語動詞に否定の接頭辞がついている。文語のみに見られる主語と動詞の一致も認められ、三人称単数名詞の主語が、述語動詞末の接辞 *yi* を要求する。一方、先に示した 1 b) と 2) は、口語的な文であり、否定辞の *nœœ* や *nœhœ* 等が動詞の後に後置されている。口語文のため動詞の一致は認められない。1 b) は 2) よりも更に口語的である。

20) *rusiyaanu janəpəti briks   samuḷuwə-ṭə   no-ya-yi.*＜文語＞

    ロシア   大統領　BRICS　首脳会議-DAT NEG-行く-3.SG

    「ロシア大統領は BRICS 首脳会議には行かない。」

https://sinhala.adaderana.lk/news/184401

　なお、否定の接頭辞と動詞の後に置かれる否定辞が共起する場合も可能であり、この場合は二重否定になる。述語動詞が複合動詞である場合は、22) のように軽動詞の前に否定の接頭辞がつく。

21) *mee siṁduwə guwan widuliy-ee no-yanne   nœhœ*

    この　曲   ラジオ-LOC   NEG-行く.FOC　ない

    「この曲はラジオで流れないことはない。（時には流れる。）」

http://hadageepotha.blogspot.com/2010/01/blog-post_5416.html

22) *mamə kawədaawat wæḍəpot   bhaawitaa no-kəranne   nœhœ.*

    私　いつも　ワークブック　使用   NEG-する.FOC　ない

114

「私はいつもワークブックを使用しないというわけではない。」

　二重否定は、単純否定辞と焦点否定辞の組み合わせでも作ることが可能であるが、順番は必ず単純否定辞－焦点否定辞の順であり、この逆はない。

23) *teerenne*　　　　*nææ nemeyi, adaaḷə*　*nææ.*

　理解する.FOC ない　ない　関連的　ない

　「理解できないのではなく、関連性がない。」

https://japurahadaya.wordpress.com/

4.　時間表現との関係

　テンス形式としてシンハラ語では、非過去と過去が形態的に区別されるが、否定文において、テンス形式が標示されるのは否定辞ではなく、動詞である。この点で否定辞自体が「ない／なかった」のようにテンスで変化する日本語とは異なる。先に示した現在時制文の 1 b) と、過去時制文の 24) を比べると、変化しているのは、否定辞ではなく、その前の動詞である。つまり、不規則変化動詞の焦点形 *yanne* が過去形 *giyee* に変わることにより、過去時制が示される。

24) *candimaal-gee*　　　　*paaṭi ekə-ṭə mamə giyee*　　　　*nææ.*

　チャンディマル-GEN　政党-DAT　私　　行く-PST.FOC　ない

　「チャンディマルの党に私は参加しなかった。」 https://newswave.lk/7099/

　このことは、否定接頭辞が用いられる場合も同様である。先に示した現在時制文の 20) と、過去時制文の 25) を比べると、変化しているのは否定接頭辞の *no* ではなく、そのあとにくる動詞であることがわかる。

25) *ææ*　　*edaa*　*paasal no-giya-yə.*

　彼女 その日 学校　NEG-行く.PST-AM

　「彼女はその日学校に行かなかった。」

115

　アスペク形式の否定文としては、テンス形式の否定文と同様に、動詞の焦点形に否定辞が後置されたり、否定接頭辞が動詞の前に付いたりする形式もあれば、それ以外の形式をとる場合もある。この節では前者の形式として進行相、後者の形式として経験相の例を挙げる。シンハラ語の進行相は、口語では完了分詞の重複形に、文語では語根に *min* が付いた付帯状況分詞に、それぞれ *innəwa*（いる）と *siṭinəwa*（いる）を補助動詞として付けた形式で表される。そして、その否定は、口語では補助動詞の焦点形に否定辞を後置詞、文語では補助動詞の前に否定接頭辞をつけることで表される。従って、口語の否定文は肯定文と比べると、補助動詞の形態変化と否定辞が付加されている点で、厳密には非対称的であるのに対し、文語は、補助動詞の前にくる接頭辞の *no* の有無だけで、否定文と肯定文が区別されるので対称的である。

26) *mamə nam feɛk akəwunṭ　　 hadə hadaa　inne　　 nɛɛ.*
　　私　TOP　偽　アカウント　作る.RED　いる.FOC　ない
　　「私は偽のアカウントを作成していない。」
　　　　　https://www.facebook.com/kalawadda.fun/photos/a.522096918297823/

27) *mee　wataaw-ee mamə kataabəha kərə-min　 no-siṭi-mi.*
　　この　回-GEN　私　会談　する-MIN　ない-いる-1.SG
　　「今回、私は会談をしていない。」　　　　https://4014105.voffart.ru

　なお主語が無生物の場合は補助動詞として *tiyenəwa*（ある）が用いられる。

28) *wiśwəy-ee grahalookə nikaṁ ohee　kɛrəki kɛrəki tiyenne　　nɛtiwə*
　　宇宙-LOC　惑星　　ただ　そこ　回る.RED　　ある.FOC　なしに
　　eeke　　jiiwəy-ak　kiyəla　dey-ak　　bihiwune-t,
　　その.GEN　生命-INDF　という　もの-INDF　生まれる.PST.FOC-も
　　「宇宙の惑星はただ回っているのではなく、そこで生命という物が生まれ、」
　　　　　　https://blog.sudaraka.com/2009/09/02/why-do-we-live/

一方、経験相については、動詞の完了分詞に存在動詞 *tiyenəwa*（ある）が
補助動詞として後置されることで表される。その否定は存在動詞を否定辞に
置き換えることで作られる。

29) *mamə japaanəyə-ʈə gihilla　　tiyenəwa.*
　　私　　日本-DAT　　行く.PP ある　「私は日本に行ったことがある。」

https://www.enenapiyasa.lk/lms/

30) *mamə japaanəyə-ʈə gihilla　　næǽ.* (国際交流基金 2002: 29)
　　私　　日本-DAT　　行く.PP ない「私は日本へ行ったことがない。」

　このように、存在動詞 *tiyenəwa* と否定辞 *næǽ* の置き換えで否定文が作れる
ことは、先に 8 a, b) で見た存在文とその否定文の対と全く同じである。

5.　否定のスコープ
5.1　否定辞のタイプによる否定のスコープの違い

　シンハラ語の否定のスコープを考えるためには、*næǽ* をはじめとする中立
的な否定辞と、*nemeyi* をはじめとする焦点否定辞を分けて考える必要がある。
næǽ が及ぶ否定のスコープは 5.2 で見ていくように文のある部分であるのに
対し、*nemeyi* が及ぶ否定のスコープは 31)のように全体的である。

31) *ee　　mahattəya koləᵐbə-ʈə　　　yanəwa nemeyi.* (Gair and Paolillo 1998: 95)
　　その 紳士　　　コロンボ-DAT 行く　ない
　　「その紳士がコロンボに行くのではない。（誰かほかの人が行く。）」

　næǽ を用いた 32 a) では、原因の後置詞句にまでは及ばないが、*nemeyi* を
用いた 32 b)では原因の後置詞句にまで及んでいる。

32) a. *wæssa nisaa mamə eḷiyə-ʈə　yanne　　　næǽ.*（母語話者による作例）
　　雨　ため 私　　外-DAT 行く.FOC ない
　　「雨のため私は［外に出］ない。」

117

b. *wæssa nisaa mamə eḷiyə-ţə   yanəwa   nemeyi.*　（母語話者による作例）
   雨　　ため　私　　外-DAT 行く　　ない
   「［雨のため私が外に出る］のではない。」

　また、*nemeyi* は、焦点否定辞と命名されているように、何に焦点を当てて
否定するのかを表す構文においても使用される。Kariyakarawana (1998: 102)
によると、33 a) では命題の全てが否定されているが、動詞過去形 *giya*（行っ
た）が焦点形になった 33 b, c) では、それぞれコロンボとグネーにのみ焦点
が当てられ否定されている。なお、33 d, e) では、否定辞自体が焦点形である
が、焦点が当てられている対象に、断定標識 (AM) の *yi* が付いているのが特
徴的である。

33) a. *gunee   kolə͏ᵐbə   giya   neweyi.* (Kariyakarawana 1998: 102)
    グネー　コロンボ　行く PST　ない
    「グネーはコロンボに行ったのではない。」

   b. *gunee   giyee   kolə͏ᵐbə   neweyi* (Kariyakarawana 1998: 102)
    グネー　行く PST.FOC　コロンボ　ない
    「グネーが行ったのはコロンボではない。」

   c. *kolə͏ᵐbə   giyee   gunee   neweyi*
    コロンボ　行く PST.FOC　グネー　ない
    「コロンボに行ったのはグネーではない。」

   d. *gunee   kolə͏ᵐbə-yi   giyee   nætte.* (Kariyakarawana 1998: 102)
    グネー　コロンボ-AM　行く PST.FOC　ない.FOC
    「グネーが行かなかったのはコロンボだ。」

   e. *gunee-yi   kolə͏ᵐbə   giyee   nætte.*
    グネー-AM　コロンボ　行く PST.FOC　ない.FOC
    「コロンボに行かなかったのはグネーだ。」

5.2　否定のスコープと副詞や数量詞との関係

　以下では、文を全体的に取り込まない否定辞 *næ̃æ* のスコープだけを見てい

くことにする。基本的に否定辞 *nææ* のスコープは、動詞に留まる場合も、動詞に加え、副詞や数量詞にも及ぶ可能性がある。34) は状態を表す名詞の具格形が副詞的に用いられている例である。

34) a. *eyaa* [*mahansiy-en wæḍə kəranne*]　　*nææ.*（母語話者による作例）

　　　彼　努力-INST　仕事　する.FOC　ない　「彼は［一生懸命働か］ない。」

　　b. *eyaa* [*hadisiy-en　kææwe*]　　　　　*nææ.*（母語話者による作例）

　　　彼　　急ぎ-INST　食べる.PST.FOC　ない　「彼は［急いで食べな］かった。」

　35) は数量を表す副詞の例である。35a) では量の多さを表す副詞と動詞が否定のスコープに入っている。一方、少量を表す副詞の場合は、インフォーマントによれば、35 b) では沢山食べることを冗談で話す状況、35 c) では、空腹でないときなど食べることを遠慮するような状況で用いられる。

35) a. *mamə* [*goḍak kanne*]　　　　*nææ.*（母語話者による作例）

　　　私　　沢山　食べる.FOC　ない

　　　「私は［沢山食べ］ない。（少しだけ食べる）」

　　b. *mamə* [*chuddak kanne*]　　　　*nææ.*（母語話者による作例）

　　　私　　少し　　食べる.FOC　ない

　　　「私は［少食］ではない。（沢山食べる）」

　　c. *mamə chuddak* [*kanne*]　　　　*nææ.*（母語話者による作例）

　　　私　　少し　　食べる.FOC　ない「私はちょっと［食べ］ない。」

　36) と 37) は全数量を表す副詞を伴った動詞文の否定の例である。いずれも a では部分否定の解釈しかできず、b のように副詞の後に主題マーカーの *nam* をつけた場合と意味的な違いはない。なお、日本語では、とりたて助詞を伴わない全数量を表す副詞は全部否定と部分否定の双方の解釈が可能である（日本語記述文法研究会　2007: 253-255）

36) a. *mamə okkomə* [*kææwe*]   *næ.*（母語話者による作例）

    私   全部   食べる.PST.FOC ない

    「私は全部は［食べ］なかった。（食べたが残した。）」

  b. *mamə okkomə nam* [*kanne*]   *næ.*（母語話者による作例）

    私   全部   TOP 食べる.FOC ない

    「私は全部は［食べ］なかった。（食べたが残した。）」

37) a. *eyaa hæmədaamə*   [*paaḍam kəranne*] *næ.*（母語話者による作例）

    彼   毎日   勉強する.FOC   ない

    「彼は毎日は［勉強し］ない。（ある日は勉強する。）」

  b. *mamə hæmədaamə nam* [*paaḍam kəranne*] *næ.*（母語話者による作例）

    彼   毎日   TOP 勉強する.FOC ない

    「彼は毎日は［勉強し］ない。（ある日は勉強する。）」

    全部否定にするためには、38)のように少量を表す副詞や疑問詞に *wat* をつけた形式を用いる必要がある。

38) a. *kææmə*   [*ṭikak-wat   kanne*]   *næ.*

    ご飯   すこし-も 食べる.FOC ない「ご飯を［一切食べ］ない。」

                                   https://www.facebook.com/

  b. *eyaa* [*kawədaa-wat paaḍam kəranne*] *næhæ.*

    彼 いつの日-も 勉強する.FOC   ない「彼は［いつも勉強し］ない」

                https://afoundationtolife.blogspot.com/2015/03/english-lesson-25.html

5.3　否定のスコープと従属節との関係性

    シンハラ語において、否定辞 *næ* のスコープは従属節に及ぶ場合と及ばない場合がある。基本的に理由を表す節は、否定のスコープに入らない。

39) *digin digəṭəmə wahina   nisaa* [*eḷiyə-ṭə bahinnə-wat hitenne*]   *næ.*

   ずっと   雨が降る.VA ため 外-DAT 出る.INF-も 考える.FOC ない

   「ずっと雨が降り続いているので、外に出る気も起らない。」

　一方、付帯状況を表す条件節の場合は、否定のスコープが従属節に及ぶ場合と及ばない場合がある。シンハラ語では完了分詞を繰り返すことで付帯状況節を作ることができるが、40 a, b) のどちらも解釈が可能である。

40) a. *eyaa* [*aⁿɖə aⁿɖə　kiwe*]　　　　　*næœ.*（母語話者による作例）

　　　彼　泣く.RED 言う.PST.FOC ない

　　　「彼は［泣きながら、言わ］なかった。」

　 b. *eyaa aⁿɖə aⁿɖə* [*kiwe*]　　　　*næœ.*（母語話者による作例）

　　　彼　泣く.RED 言う.PST.FOC ない

　　　「彼は泣きながら、［言わ］なかった。」

　シンハラ語では、動詞の完了分詞形が日本語のテ形のように動作や状態が続いて起こることを表すことができる。この場合の主節の否定のスコープも, 従属節に及ぶ場合と及ばない場合の双方がある。

41) a. *eyaa* [*hadisi wela kææwe*]　　　　*næœ.*（母語話者による作例）

　　　彼　　急ぐ.PP　　食べる.PST.FOC ない 「彼は［急いで食べ］なかった。」

　 b. *eyaa hadisi wela* [*kææwe*]　　　　*næœ.*（母語話者による作例）

　　　彼　　急ぐ.PP　　食べる.PST.FOC ない

　　　「彼は急いでいて［食べ］なかった。」

　ただし、文意によって、主節の否定のスコープが、従属節に及ぶ場合に限定される場合と、及ばない場合に限定される場合もある。

42) a. *eyaa* [*mahansi wela wæɖə kəranne*]　　*næœ.*（母語話者による作例）

　　　彼　　努力する.PP 仕事 する.FOC ない「彼は［精を出して働か］ない。」

　 b. *eyaa kammæli wela* [*wæɖə kəranne*]　　*næœ.*（母語話者による作例）

　　　彼　怠ける.PP　　　仕事 する.FOC ない　「彼は、怠けて［働か］ない。」

121

6. 禁止との関係

　シンハラ語の禁止標識としては、ここまで見てきたような否定辞ではなく、*epaa* を用いる。*epaa* の語源は Carter (1924: 134) によると、*ee paha* (that aside) となっている。 *epaa* の前にくる動詞の形は、動詞否定文とは異なり、不定詞が用いられる。口調の違いにより、強い禁止から要求まで表すことが可能である。

43) *heṭə　ennə　　epaa.* (Karuntatillake 1998: 58)
　　明日　来る.INF　不要
　　「明日は来るな。来てはならない。来ないでください」

44) *kæbin-ekee　　dum paanəwə kərannə　epaa.*
　　キャビン.LOC　煙　喫煙　する.INF　不要
　　「機内では喫煙しないでください。」
　　https://oborudow.ru/si/tyuning/roofing-the-car-when-repairing-the-ceiling-lining/

　なお、*epaa* が名詞につく場合は不要を表す。

45) *maṭə　　pot-ak　　epaa.* (Karuntatillake 1998: 25)
　　私-DAT　本-INDF　不要　「私は本が不要だ。」

不可能を表す *bææ* も文脈によって禁止を表すことができる。

46) *minissu bahuləwə gæwəsenə　tæn-wələ　　dum paanəwə kərannə　　bææ.*
　　人々　　多く　　集まる.VA 所.PL-LOC 煙　喫煙　　する-INF 不可
　　「公共の場所では禁煙です。」https://elakiri.com/threads/

7. 疑問文との関係

　シンハラ語には疑問文末助詞の *də* がある。

47) a. *mee   bas-ekə   dæn yanəwa.*   (Karuntatillake 1998: 14)

    この バス-1 今　行く 「このバスは今出発する。」

  b. *mee   bas-ekə   dæn yanəwa də?*   (Karuntatillake 1998: 14)

    この バス-1 今　行く　か 「このバスは今出発するか。」

否定の疑問文は *nææ* と *də* が結合した *næddə* の形が文末にくる。

48) a. *laməyaa pot-ak   ganne   nææ.*   (Karuntatillake 1998: 25)

    子ども 本-INDF 得る.FOC ない　「生徒は本を買わない。」

  b. *laməyaa pot-ak   ganne   næddə?*   (Karuntatillake 1998: 14)

    子ども 本-INDF 得る.FOC ないか　「生徒は本を買わないか。」

否定接頭辞を持つ動詞文を疑問文にする場合は、否定文末の叙述標識 *yə* を疑問文末助詞に置き換える。

49) a. *ææ   edaa   paasal no-giya-yə.*

    彼女 その日 学校 NEG-行く.PST-PM

    「彼女はその日学校に行きませんでした。」

    http://archives.dinamina.lk/sithijaya/art.asp?id=2011/12/01/spg11_0

  b. *paṁsələ-ṭə no-giya-də ?*

    寺-DAT　　NEG-行く.PST-か「お寺に行かなかったのか？」

    https://www.facebook.com/groups/308612490002992/posts/331182847745956/

選択疑問文においては、必ず否定辞を用いられなければならない。ただ、*næddə* が用いられる場合と、否定接頭辞が用いられる場合とでは、選択疑問文の作り方が異なる。*næddə* が用いられる時は、50) と 51) のように動詞がはじめに一度現れるのみであるが、否定接頭辞が用いられる時は、52) のように動詞が 2 度現れる。

50) *nidəhas kərənəwa də næddə   kiyə-pan.*

　　釈放する　　　　か　ないか　言う-IMP

　　「釈放するのかどうか言え。」　　　　　　　　https://elakiri.com/threads/

51) *yamədə metewiyə enəwa də næddə   kiyəla danne   næhæ.*

　　山田　さん　　来る　か　ないか　と　　知る.FOC. ない

　　「山田さんは来るかどうかわかりません。」　（国際交流金 2002: 105）

52) *eccara mudəl-ak   giya   də no-giya   də kiya maa danne   næhæ.*

　　それ程 お金-INDF 行く.PST か NEG 行く.PST か と 私 知る.FOC. ない

　　「それほどのお金が流れたかどうか、私はわからない。」

　　　　　　　　　　　http://ambalangoda.uc.gov.lk/docs/2019-11-05.pdf

　なお、上記の例はいずれも選択疑問文が従属節となっている。50) では主節の動詞 *kiyənəwa*（言う）の命令形が、特に引用の標識をとらずに従属節を受けている。一方、51) と 52) では、主節の動詞 *danəwa*（知る）が引用の標識 *kiyəla / kiya* をとって、従属節を受けている。*kiyəla / kiya* は語源的にはどちらも動詞 *kiyənəwa* の完了分詞形で、文法化が進んで引用の標識となったものである。両者の違いは、前者が口語的で後者が文語的である。

8.　その他、シンハラ語での否定現象で特記すべき事項

　シンハラ語の存在動詞 *tiyenəwa*（ある）と *innəwa*（いる）の否定は、それぞれ、否定辞 *næææ* が取って代わる 53b) , 54b) のような場合と、動詞の焦点形に否定辞 *næææ* が後接される 53c) , 54c) のような場合がある。Disanayaka (2012: 72) によれば、前者は永続的に非存在を表すのに対し、後者は短期間しか存在しないことを表すようである。例えば、53c) では給料が入ってもすぐに使い切ってしまうこと、54 c) では入社してもすぐに辞めてしまうこと等が意図される。このような区別が存在すること、有生と無生の名詞を厳密に区別するシンハラ語にとって、53 b) , 54b) のように非存在の場合に述語の使い分けをしないことは、日本語と異なっており、興味深い現象である。

53) a. *maa ḷaᵑgə salli tiyənəwa.* (Disanayaka 2012: 72)

　　私　傍　お金　ある「私にはお金がある。」

　b. *maa ḷaᵑgə salli næœ.* (Disanayaka 2012: 72)

　　私　傍　お金　ない「私にはお金がない。」

　c. *maa ḷaᵑgə salli　tiyenne　　næœ.* (Disanayaka 2012: 73)

　　私　傍　お金　ある.FOC　ない

　　「私にはお金がない。(ずっとお金を手元に置いておくことができない。)」

54) a. *kantooruw-e　lassənə kelloo　　　innəwa.* (Disanayaka 2012: 72)

　　事務所-LOC　可愛い　女の子.PL　いる「事務所に可愛い女の子がいる。」

　b. *kantooruw-e　lassənə kelloo　　　næœ.* (Disanayaka 2012: 72)

　　事務所-LOC　可愛い　女の子.PL　ない「事務所に可愛い女の子がいない。」

　c. *kantooruw-e　lassənə kelloo　　　inne　　　næœ.* (Disanayaka 2012: 73)

　　事務所-LOC　可愛い　女の子.PL　いる.FOC　ない

　　「事務所に可愛い女の子がいない。(ずっと会社に留まってくれない。)」

9.　おわりに

　今回、シンハラ語に複数のタイプの否定辞があることと、それぞれの統語的なふるまいやスコープの及ぶ範囲の違いを指摘することができた。また、日本語との対照においては、否定辞と時間表現との関係に見られる違い、全数量を表す副詞を伴った文での全部否定の解釈の可否の違い、存在動詞文の否定の形式や意味の違いを指摘することができた。これらは、否定の類型的研究やシンハラ語母語話者に対する日本語教育にも有益なデータを提供できると考えられる。

　今回は、シンハラ語の否定辞の記述にとどまってしまったので、今後は更にシンハラ語否定辞の統語的特徴について分析を深めていきたい。具体的には単純否定辞の前にくる動詞がなぜ焦点形なのか、焦点否定辞の前に来る動詞がなぜ叙述形なのか、名詞述語文の否定と経験相の否定が、なぜ同様の形式をとるのかについて、本稿を書き進めていく中で疑問に感じた点であったが、今回は考察できなかったので、今後の課題としたい。

略語

1: 一人称　3: 三人称　AM: 断定標識　DAT: 与格　FOC: 焦点形
GEN: 属格　IMP: 命令　INDF: 不特定　INST: 具格　INF: 不定詞
LOC: 位格　MIN: 付帯状況分詞　NEG: 否定接頭辞　PM: 叙述標識
PP: 完了分詞　PST: 過去　RED: 完了分詞の重複形　SG: 単数
TOP: 主題標識　VA: 動詞の名詞修飾形

謝辞

　本稿の作成においては、安田女子大学大学院博士前期課程 1 年生の
Weerasinghe Hetti Arachchilage Devika さんに、インフォーマントとしてシンハ
ラ語例文の適格性判断や作例にご協力いただいた。本稿におけるシンハラ語
例文提示に問題や不備があれば、それらは全て筆者の責任である。なお、本
稿は、科研費研究若手研究（課題番号 20K13095）「効率的学習と相互文化理
解を目指すシンハラ語母語話者対象の日本語教育文法書の開発」（研究代表
者：宮岸哲也）による研究成果の一部を纏めたものである。

参考文献

かしゃぐら通信 (2005) 『シンハラ語の話し方』南船北馬舎
かしゃぐら通信 (2011) 『シンハラ語の話し方増補改訂』かしゃぐら通信
国際交流基金 (2002)『基礎日本語学習辞典［シンハラ語版］』Colombo: Vijitha
　　Yapa Publications
日本語記述文法研究会 (2007) 『現代日本語文法 3-第 5 部アスペクト・第 6
　　部テンス・第 7 部肯否-』くろしお出版
野口忠司 (1984) 『シンハラ語の入門』大学書林
Carter, Charles (1924) *Carter's Sinhalese English Dictionary*. Colombo: The Baptist
　　Missionary Society
Chandralal, Dileep (2010) *Sinhala*. Amsterdam: John Benjamins Publishing Company.
Disanayaka, J.B. (2012) *Encyclopedia of Sinhala Language and Culture*.
　　Maharagama: Sumitha Publisheres
Gair, James W. (1970) *Colloquial Sinhalese Clause Structures*. The Hague: Mouton.

Gair, James W and John Paolillo. 1998 (1989). "Sinhala Noverbal Sentences and Argument Structure." Gair, James W. *Studies in South Asian Linguistics. Sinhala and Other South Asian Languages*. Selected and Edited by Barbara C. Lust. New York / Oxford: Oxford University Press. 87-107.

Gair, James W. and Karunatilaka, W. S. (1974) *Literary Sinhala*. South Asia Program and Department of Modern Languages and Linguistics. Cornell University. Ithaca, New York.

Gunasekara, A.M (1891) *A Comprehensive Grammar of the Sinhalese Language*. Colombo: G.J.A. Skeen, Government Printer, Ceylon.

Kariyakarawana, S.M. (1998) *The Syntax of Focus and Wh-Questions in Sinhala*. Colombo: Karunaratne & Sons Ltd.

Karuntatillake, W.S. (1998) *An Introduction to Spoken Sinhala 2nd Edition*. Colombo: Gunasena.

チワン語の否定表現
Negative expressions in Zhuang language

黄　海萍（国立国語研究所）

Haiping Huang (NINJAL)

要　旨

　本稿では、チワン語龍茗方言（以下、龍茗方言）の標準否定に関わる表現の分析を試みた。特に、龍茗方言の否定の手法と形式、複数の否定標識の使い分け、否定標識を用いた疑問文、否定禁止表現、否定のスコープなどについて分析した。龍茗方言には mɤj2, po:4, caŋ2, ja:2 および[na:w3/na:w1]という 5 つの否定標識が存在し、その否定表現は動詞前否定型である。mɤj2 と po:4 が一般否定に用いるのに対して、caŋ2 は未然否定に用いる。ja:2 は否定禁止にしか使わず、[na:w3／na:w1]は否定語気詞として文末にのみ出現できる。mɤj2 と caŋ2 は YES/NO 疑問文に、mɤj2, po:4, caŋ2 は選択疑問に用いられる。否定のスコープは原則として否定標識の後続部分の全体であり、否定標識と疑問詞、副詞（句）の語順によって否定の意味に違いが生じる。また、数量表現が否定のスコープ内にある場合、数量表現の種類によって全部否定か部分否定を表すことができる。

キーワード: チワン語，否定表現，否定標識，否定禁止，否定のスコープ

1　はじめに

　チワン語（壮語、zhuàngyǔ）は、中国の南部に住むチワン族（壮族、zhuàngzú）の言語であり、言語系統上タイ・カダイ（Tai-Kadai）語族のタイ（Tai）諸語に属する。チワン族の人口は、約 1900 万人（2020 年）と中国最多の人口を擁する少数民族である（中華人民共和国国家統計局編 2021）。その約 9 割はベトナム国境に接する広西チワン族自治区内で暮らしているが、居住地域は広東省、貴州省、雲南省などにも広がっている。チワン語の正確な話者数は

明らかではないが、近年漢語（中国語の「普通語」）教育の浸透やラジオ、テレビ、携帯電話等の普及に伴い、チワン語母語話者比率99％を示している県（引用者注：靖西県）ですら漢語への言語転移現象が起きていると指摘されている（吉川 2012:28）。また、チワン族が集住する靖西県や大新県などでも、流暢に漢語が話せるチワン族は流暢にチワン語が話せるチワン族を上回っていると報告されている（黄南津等編 2018:94-95）。筆者自身の調査からも分かるように、チワン語は急速に衰退し消滅の危機に瀕している。

　本稿[1]の目的は、広西チワン族自治区の崇左市天等県の龍茗鎮東南村逐伏屯で話されているチワン語の変種である龍茗方言の否定表現を記述することである。龍茗方言は系統上タイ・カダイ語族・中央タイ諸語・チワン語・南部方言・左江方言に属する（Li 1977；韋・覃 1980；張等 1999）。その母語話者は約 200 名であり、彼らには $kɤn^2$ $tʰo:^5$「人＋土＝土着の人」という自称を持ち、自らの言葉を $va:^4$ $tʰo:^5$「言葉＋土＝土着の言葉」と称し、自分たちが $ka:ŋ^5$ $tʰo:^5$「話す＋土＝土着の言葉を話す」人間であると強く意識する（黄 2018b:15-17）。なお、龍茗方言の音韻および形態統語的特徴については、黄（2018a、2018b、2021、2022a、2022b）を参照のこと。

1.1　本稿のデータと構成

　本稿で用いたデータは、龍茗方言の母語話者である筆者と 2 名の母語話者（話者 M1 男性・1962 年生、話者 F1 女性 1941 年生）それぞれとの談話から得られたものである。また、先行研究より引用した用例や筆者が作成した用例も用いる。それらの用例の容認度判断は、すべて筆者の内省および調査協力者の再度確認の結果による。

　本稿の構成は以下の通りである。第 1 節では、龍茗方言の言語背景や本稿の目的、本稿のデータと構成、先行研究および用語の定義などについて述べる。第 2 節では、龍茗方言の標準否定の手法と形式について述べ、標準否定に用いられる 3 つの否定標識の使い分けを明らかにする。第 3 節では、否定

---

[1] 本研究は、科研費若手研究「消滅危機言語としてのチワン語諸方言の記述的研究」（課題番号：JP22K13122）の助成を受けたものである。

標識を用いた疑問文について述べる。第4節では、否定表現の用例に関して分析を行い、否定標識と副詞の位置、数量表現の種類による否定のスコープの違いを明らかにする。第5節では、龍茗方言の否定禁止の手法と形式について述べる。第6節では、本稿の結論および今後の課題について述べる。

なお、本稿の表記は、黄2018aの音素表記に従い、声調を示す1〜5の数を音節ごとに付す。単語や例文に使用する「　」内は日本語訳を、（　）は省略可能な要素を、【　】は補足文脈を、[A/B]の斜線はAあるいはBのどちらかを、下線は注目すべき箇所を、例文のグロスに使うNEGは否定標識を、＊印を付けた例文は非文であることを示す。

1.2　先行研究[2]

チワン語の否定表現に関する体系的な研究は少ないが、チワン語研究の主要文献である広西（1957）、張均如等（1999）、韋・覃（1980）、韋（1985）、韋・覃（2006）、鄭（2013）などには、いくつかの否定語の語形やわずかの用例を挙げている。包括的にチワン語の文法を示した韋・何・羅（2011）では、チワン語の北部方言に属する燕斎方言の否定詞と一般的な否定表現を取り上げている。しかし、複数の否定詞の使い分け、否定禁止表現や、否定詞相互の共起関係の問題の詳細については述べられていない。

また、チワン語諸方言の文法をスケッチした学位論文には、謝（2012）、盧（2011）、趙（2022）、黄（2010）、黄（2020）、楊（2012）、晏（2018）、韋（2014）、馬（2011）、劉（2020）やチワン語の副詞を主な研究対象とする覃（2011）、黄（2019）などもチワン語の否定詞と否定表現を取り上げている。そのほか、特にチワン語の否定表現に焦点を当てた覃・黄・陳（2010）、韋（2012）、鄭（1992）、Eric（2019）、黄美秋（2021）が挙げられる。

本稿の議論と関係する問題を扱ったものとして、龍茗方言と同じくチワン語の南部方言に属する徳靖方言の否定表現に焦点を当てた鄭（1992）、Eric（2019）がある。鄭（1992）は否定表現に用いられるさまざまな形式とその

---

[2] 本稿では、表記の統一や見やすさの観点により、それぞれの先行研究の否定標識に付されている声調記号（1桁の数字）または声調調値（複数桁の数字）を省略して引用する。

出現位置を示し、それらの共起関係を論じている。Eric（2019）は、主に徳靖方言に属するヤン・チワン語[3]の否定表現における二部否定（two-part negation）、特に否定詞と句末助詞 nauq からなる二部否定を分析し、句末助詞 nauq の歴史的な起源や構文上の役割などについても考察したものである。Eric（2019）によれば、ヤン・チワン語の二部否定構文では、否定詞 meiz はほとんど常に句末助詞 nauq と共起するが、否定詞 boj はわずかな例外を除けば基本的に nauq と共起しない。しかし、否定詞 zaengz と nauq との共起による二部否定が成立するかどうかは述べられていない[4]。

　龍茗方言に地理的に近い天等方言の否定表現に焦点を当てた研究として黄美秋（2021）が挙げられる。同論文では天等県都康郷降祥村のチワン語方言だけではなく、天等県内の複数の地点のチワン語方言の否定表現も扱っていると述べられているが、複数の地点の言語ソースを分けずに議論している点に問題がある。同論文で挙げられた否定詞の語形は龍茗方言のそれと異なるものの、いくつかの否定詞の意味・用法が類似している。そのため、初めて龍茗方言の否定表現を考察する上で有益である。

　以上の先行研究を踏まえて、本稿では龍茗方言の否定表現における複数の否定標識の意味・用法やそれぞれの使い分けを明らかにし、さまざまな統語環境を考察した構文の分析を試みる。

1.3　用語の定義

　議論に先立って、本稿の議論の鍵となる用語や事柄を説明しておく。一般のチワン語方言の場合と同様に、否定表現は龍茗方言を特徴づける要素の一つである。しかし、龍茗方言の母語話者が否定として認識するものは（1）a, b, c の下線部に示すように、複雑で多様である。

---

[3] ヤン・チワン語（Yang Zhuang）はかつて「仰話」（yǎnghuà）と呼ばれ、靖西県、徳保県、那坡県あたりで話されるチワン語の一変種である（Eric 2019:53）。

[4] boj、meiz は標準中国語の「不 bù」に類似し、zaengz は標準中国語の「没 méi」と同じような「まだない」、「持っていない」などの意味を持つという（Eric 2019:55）。

(1) a. te:1　　mɤj2　　jɤw3　　ruɯ:n2.

　　　　彼　　　NEG　　いる　　家

　　　　「彼は家にいない。」

　　b. ŋo:4　　la:j3-ɯa:5　　　te:1　　jɤw3　　ruɯ:n2.【作例】

　　　　私　　　〜だと思う　　　彼　　　いる　　家

　　　　「私は彼が家にいると思っていた（しかし実際彼は家にいない）。」

　　c. ka:4-raɯ2　　ɯa:5　te:1　　jɤw3　　ruɯ:n2　　je:2.【作例】

　　　　誰　　　　言う　彼　　　いる　　家　　　語気詞

　　　　「誰が彼が家にいることを言ったのかい（彼は家にいない）。」

　（1）a は否定標識 mɤj2 が使われ、te:1 jɤw3 ruɯ:n2.「彼は家にいる」という命題に対する否定を表す。（1）a は明示的な文法形式による否定である。それに対して、（1）b は否定標識を用いないが、（1）a と同様、「彼は家にいる」という命題に対する否定を語用論的な推意として表す。（1）c は反語的な表現である。龍茗方言の否定は、（1）a のように否定標識を用いて表すものもあれば、（1）b, c のように否定標識を用いず、代わりに語用論的に表すものもある。前者を「明示的否定」とし、後者を「非明示的否定」とする。本稿では、否定標識を用いた明示的否定表現に限定して考察する。

　龍茗方言の否定体系には、2 つの標準的な否定標識 mɤj2「〜しない、〜にない」と po:4「〜がない、〜を持たない」、1 つのアスペクト否定標識 caŋ2「まだ〜していない」、1 つの標準的な禁止を表す否定標識 ja:2「〜するな」と 1 つの否定語気詞［na:w3/na:w1］がある。応答などとして独立で使える caŋ2 を自立的な「否定語」に、独立で使えない mɤj2, po:4, ja:,［na:w3/na:w1］を「否定辞」と呼ぶこともできるが、本稿ではこれらの否定要素を一括して「否定標識」と呼ぶ。mɤj2, caŋ2 は動詞、助動詞や形容詞に前置して否定を表すが、po:4 と ja:2 は形容詞に前置できず、常に動詞と助動詞に前置して否定を表す。これに対して、［na:w3/na:w1］は禁止を表す否定標識 ja:2 を除くなんらかの否定標識に後続し、句末にしか出現しない。本稿では 1 つの否定標識とそれ以外の要素 1 つ以上から構成される複合形式を複合否定詞と呼ぶ。

　また、本稿では否定標識の作用領域を「否定のスコープ」と呼ぶ。否定標

識と数量表現が同一の文中で生起する時、数量表現が否定のスコープにある場合、数量表現の種類によって全部否定か部分否定を表すことができる。全部否定とはある名詞句について、叙述がまったくあてはまらないことを意味する。部分否定とは、ある名詞句が表す内容の一部については叙述が当てはまるが、他の一部には当てはまらないことを意味する[5]。

　そのほか、本稿で考察する「明示的否定」のうち、同じ節の中に 1 つの否定標識しか現れない否定表現を「標準否定」と定義する。標準否定はさらに mɤj2, po:4 を用いた一般否定と caŋ2 を用いた未然否定に分類できる。同じ節の中に 2 つの否定標識が現れるが、表現の全体としては否定表現になる否定を Eric（2019）に従い「二部否定」と呼ぶ。それに対して、同じ節の中に 2 つ以上の否定標識が現れ、それらがお互いに打ち消し合うことで全体としては肯定表現になるような否定のことを「二重否定」[6]と呼ぶ。

2　否定表現の手法と形式

　龍茗方言の標準否定は 2 つの標準的な否定標識 mɤj2, po:4 およびアスペクト否定標識 caŋ2 を用いて表す。また、これらの否定標識はいずれも否定語気詞［na:w3/na:w1］と共起して否定を表すことができる。そして、mɤj2, po:4 によって表される否定は、認識に関わるものであるため、副詞的要素による時間表現の制約を受けない。発話時より前に発生したこと、まだ発生していないこと、どちらの文脈に対しても用いることができる。一方、caŋ2 はまだ発生していないことにのみ使用できる。

　本節では、mɤj2, po:4, caŋ2 のそれぞれの意味・用法について分析し、三者の使い分けを明らかにする。2.1 節では mɤj2 を用いた一般否定について、2.2 節では po:4 を用いた一般否定について、2.3 節では caŋ2 を用いた未然否定について考察する。2.4 節では mɤj2, po:4, caŋ2 の使い分けについて考察する。

---

[5]　「全部否定」と「部分否定」の定義は五十嵐（2020:51）に従った。
[6]　二重否定の定義は五十嵐（2020:56）に従った。本稿では二重否定を扱わない。

2.1 mɤj2 を用いた一般否定

　龍茗方言においてもっとも使用頻度が高い否定標識は mɤj2「〜しない、〜にない」である。動詞述語文（動詞が述語の主要部となる文）と形容詞述語文（形容詞が述語の主要部となる文）の一般否定は、否定標識 mɤj2 を用いて表現できる。名詞述語文（名詞・数量表現などの名詞類が述語の主要部となる）の一般否定は、否定標識 mɤj2 と、中国語「是 shì」に相当するコピュラ動詞 cɤɯ4「である」を組合わせた複合否定詞 mɤj2-cɤɯ4「ではない」を用いて表す。

2.1.1 動詞述語文の一般否定

　ここでは、存在・所在文、一般的な動詞述語文および受身と使役表現の一般否定を分けて考察する。

2.1.1.1 存在・所在文の一般否定

　存在・所在文は、所在・存在動詞 jɤw3「〜にある、〜にいる、〜に住む」などによって表現される。自然物の存在、具体物の所在、人の所在などを表すことができる。存在・所在文の一般否定表現は、否定標識 mɤj2 を jɤw3 の前に置いて表現する。一般的な語順は「所在物＋mɤj2＋所在・存在動詞＋所在場所（＋否定語気詞）」（〜が〜にある／いる）である。

　（2）a, b は自然物（a は生物、b は無生物）の一般否定表現、（3）a, b は具体物（a は生物、b は無生物）の所在文の一般否定表現、（4）a, b は人の所在文の一般否定表現である。（3）b、（4）b の否定標識 mɤj2 は否定の語気を和らげる na:w3 と共起する二部否定である。

（2）a. tu:1　　　　pja:1-nwaj2　　<u>mɤj2</u>　　jɤw3　　kja:ŋ1　　pɤn2.
　　　類別詞　　　鯉　　　　　　NEG　　　いる　　中　　　たらい
　　　「鯉はたらいの中にいない。」

　　b. ʔan2　　　　tʰa:1-wan2　　<u>mɤj2</u>　　jɤw3　　tiŋ2　　fa:5.
　　　類別詞　　　太陽　　　　　NEG　　　いる　　上　　　空
　　　「太陽は空の上にない。」【太陽が出ていないという意味】

(3) a.

tu:1	me:w2	na:4	ha:5	<u>mɤj2</u>	jɤw3	tiŋ2	riŋ5	（<u>na:w3</u>）.
類別詞	猫	叔母	5	NEG	ある	上	食器棚	NEG

「5番目の叔母の猫は食器棚の上にいないよ。」

b.

cʰe:k3	θɤɯ1	ni:4	<u>mɤj2</u>	jɤw3	paŋ4	ŋo:4	（<u>na:w3</u>）.
類別詞	本	あなた	NEG	ある	～側	私	NEG

「あなたの本は私のところにないよ。」

(4) a.

luk4	θa:w1	te:1	<u>mɤj2</u>	jɤw3	ruɯ:n2.
子ども	女性	彼	NEG	いる	家

「彼の娘は家にいない。」

b.

te:1	<u>mɤj2</u>	jɤw3	na:m2-niŋ2	（<u>na:w3</u>）.
彼	NEG	住む	南寧（地名）	NEG

「彼は南寧に住んでいないよ。」

2.1.1.2　一般的な動詞述語文の一般否定

1つの動詞しか現れない動詞述語文の一般否定表現は、否定標識 mɤj2 を動詞に前置して表現する。2つ以上の動詞が同じ節に出現する動詞連続の場合は、否定標識 mɤj2 を原則として最初の主要動詞の前に置いて否定を表す。助動詞（動詞の前に置かれて動詞の働きを助ける語）が付く動詞述語文の場合も、原則として否定標識 mɤj2 を助動詞に前置して標準否定を表現する。しかし、文の意味によっては、助動詞の後に否定標識 mɤj2 を置いて否定表現を作ることができるものも観察される。

(5)は自動詞述語文の否定文であり、否定標識 mɤj2 を自動詞 muɯ:2「行く」の前に置いて否定を表す。mɤj2 muɯ:2「行かない」は、自分の意志によって「行くことをしない」という意味もあるが、「行く予定がない」ことも表現する。

(5)

wan2-pjuk4	te:1	<u>mɤj2</u>	muɯ:2	ka:j1.
明日	彼女	NEG	行く	街

「明日は彼女が街に行かない。」【行かない予定である】

(6)は他動詞述語文の否定文であり、否定標識 mɤj2 を他動詞 kin1「飲む」

の前に置いて否定を表す。mɤj2 kin1「飲まない」は、自分の意志によって「飲むことをしない」という意味もあるが、「飲む習慣がない」ことも表現する。

(6) ce:1　　　mɤj2　　kin1　　law5　　wa:n1.
　　　姉　　　　NEG　　飲む　　酒　　　甘い
　　　「姉は甘酒を飲まない。」【姉は甘酒を飲む習慣がない】

　　(7) a は動詞連続の肯定文であり、(7) b はその否定文である。否定標識 mɤj2 は、原則として最初の主要動詞 pɤj1「行く」の前に置いて否定を表す必要がある。このため、(7) c や (7) d のように否定標識 mɤj2 を 2 番目または 3 番目の動詞の前に置く文は非文である。

(7) a. no:ŋ5　　　　pɤj1　　　　co:j4　　　ma:3　　θaw1　　　　kʰaw3.【肯定文】
　　　弟　　　　　行く　　　　手伝う　　母　　刈り取る　　稲
　　　「弟は母の稲刈りを手伝いに行く。」

　　b. no:ŋ5　　　　mɤj2　　　pɤj1　　　co:j4　　ma:3　　　θaw1　　　kʰaw3.
　　　弟　　　　　NEG　　　行く　　　手伝う　　母　　　刈り取る　　稲
　　　「弟は母の稲刈りを手伝いに行かない。」

　*c. no:ŋ5　pɤj1　mɤj2　co:j4　　ma:3　　　θaw1　　　kʰaw3.【作例】
　　弟　　行く NEG　手伝う　母　　　刈り取る　　稲
　　「弟は行って、母の稲刈りを手伝わない。」

　*d. no:ŋ5　　　pɤj1　　　co:j4　　ma:3　　mɤj2　　θaw1　　　kʰaw3.【作例】
　　弟　　　　行く　　　手伝う　　母　　NEG　刈り取る　　稲
　　「弟は母を手伝いに行ったが、稲を刈り取らない。」

　　(8) a は動詞の前に助動詞 ɗaj5「できる」が付く動詞述語文の肯定文であり、(8) b はその否定文である。否定標識 mɤj2 は助動詞 ɗaj5「できる」の前に置いて否定を表す必要があるため、(8) c のように否定標識 mɤj2 を動詞 pɤj1「行く」の前に置くことができない。

(8) a. no:ŋ5　　　ɗaj5　　　pɤj1　　　na:m2-niŋ2.【肯定文】
　　　弟　　　　　できる　行く　　　南寧（地名）
　　　「弟は南寧に行くことができる。」【行くチャンスを得た】

　 b. no:ŋ5　　　mɤj2　　　ɗaj5　　　pɤj1　　　na:m2-niŋ2.
　　　弟　　　　　NEG　　　できる　行く　　　南寧（地名）
　　　「弟は南寧に行くことができない。」【行くチャンスを得なかった】

*c. no:ŋ5　　　ɗaj5　　　mɤj2　　　pɤj1　　　na:m2-niŋ2.
　　　弟　　　　　できる　NEG　　　行く　　　南寧（地名）

　(9) a は動詞の前に助動詞 jiŋ3-ka:j1「べき」が付く動詞述語文の肯定文であり、（9）b はその標準否定である。（9）c は、「彼を手伝う」が否定のスコープとなっており、文字通りには mɤj2 co:j4 te:1「彼を手伝わない」（文意は「彼を手伝うべきではない」）と言うが、実際はすでに彼を手伝ったことを含意する。

　(9) a. ni:4　　　　jiŋ3-ka:j1　co:j4　　　te:1.【肯定文】
　　　　あなた　　　べき　　　手伝う　彼
　　　　「あなたは彼を手伝うべきだ。」【手伝ったかどうかは不明】

　　 b. ni:4　　　　mɤj2　　　jiŋ3-ka:j1　co:j4　　　te:1.
　　　　あなた　　　NEG　　　べき　　　手伝う　彼
　　　　「あなたは彼を手伝うべきではない。」【手伝ったかどうかは不明】

　　 c. ni:4　　　　jiŋ3-ka:j1　mɤj2　　　co:j4　　　te:1.
　　　　あなた　　　べき　　　NEG　　　手伝う　彼
　　　　「あなたは彼を手伝うべきではなかった。」【実際彼を手伝った】

2.1.1.3　受身と使役表現の一般否定

　龍茗方言の受身表現には、tauɯ2、ŋa:j2、ŋa:j2-tauɯ2 という 3 つの受身標識を持つ。そのうち、受身標識 tauɯ2 を用いた受身表現のみが mɤj2 をもって否定することができる。（10）は受身表現の否定表現であり、否定標識 mɤj2 を受身標識 tauɯ2 の前に置いて否定する。

（10）te:1　mɤj2　[tauɯ2／*ŋa:j2／*ŋa:j2-tauɯ2]　tu:1　ma:1　kap4.
　　　彼　NEG　　受身標識　　　　　　類別詞　犬　　咬む
　　　「彼は犬に咬まれなかった。」

　また、龍茗方言の使役表現には、使役標識 hɤʉ5 と cʰo:j1（強制使役）が用いられる。両者の前に否定標識 mɤj2 を置いて否定することができる。（11）は使役表現の否定表現である。

（11）te:1　　　　mɤj2　　　　[hɤʉ5／cʰo:j1]　　no:ŋ5　pɤj1　ɯa:k4.
　　　彼　　　　　NEG　　　使役標識　　　　弟　　行く　学校
　　　「彼は弟を学校に行かせなかった。」

2.1.2　形容詞述語文の一般否定

　形容詞述語文の標準否定は、否定標識 mɤj2 を形容詞に前置して表現する。例えば、物事の性質や状態などを表す形容詞の dɯ:t3「暑い」、θoŋ1「高い」、ke:n3「硬い」、kwa:j1「美しい」、ɯat2「忙しい」などは、すべて「mɤj2＋形容詞」で否定できる。その否定は、「暑くない」、「高くない」などといった意味になる。一方、色彩を表す形容詞の場合、ɗe:ŋ2「赤い」、he:ŋ5「黄色い」なども「mɤj2＋形容詞」で否定できるが、その否定は「期待されるほど十分に赤くない」、「十分に黄色くない」という「程度」の否定を意味する。

　（12）は形容詞 dɯ:t3「暑い」を用いた形容詞述語文の否定表現であり、否定標識 mɤj2 は述語の dɯ:t3「暑い」を完全に否定している。

（12）wan2-ne:4　　mɤj2　　dɯ:t3.
　　　今日　　　　NEG　　暑い
　　　「今日は暑くない。」【寒いか、涼しいか、暖かいかは不明】

　（13）a は色彩形容詞 ɗe:ŋ2「赤い」を用いた形容詞述語文の否定表現である。しかし、否定標識 mɤj2 は述語の ɗe:ŋ2「赤い」を完全に否定しているわ

けではなく、「私の髪の毛は赤い」が期待するほどは十分に赤くなっていない
ことを含意する。一方、「赤い色ではない」と表現したい時は、(13) b のよう
に、複合否定詞の mʁj2-cʁɥ4「ではない」を用いる必要がある。

(13) a. tʰu:1　　pʰjʁm1　　ŋo:4　　<u>mʁj2</u>　　de:ŋ2.
　　　　頭　　　髪の毛　　私　　　NEG　　　赤い
　　　「私の髪の毛は真っ赤ではない。」【十分に赤くなっていない】

　　 b. tʰu:1　　pʰjʁm1　　ŋo:4　　<u>mʁj2-cʁɥ4</u>　　　　<u>de:ŋ2</u>.【作例】
　　　　頭　　　髪の毛　　私　　　NEG　　　　　　　　赤い色（名）
　　　「私の髪の毛は赤い色ではない。」【例えば茶色である】

2.1.3　名詞述語文の一般否定

　名詞述語文の標準否定は、複合否定詞 mʁj2-cʁɥ4「〜ではない」を名詞や
名詞・数量表現などの名詞類の前に置いて表現する。基本的に「A は B では
ない」という意味を持つ否定表現となる。

　(14) a は名詞が述語の主要部となる名詞述語文の肯定文であり、(14) b
はその対応する否定表現である。

(14) a. te:1　　　　<u>la:w5-pa:n5</u>　　　　<u>kwa:ŋ1-to:ŋ3</u>.【肯定文】
　　　　彼　　　　ボス　　　　　　　広東（地名）
　　　　「彼は広東出身のボスである。」

　　 b. te:1　　　<u>mʁj2-cʁɥ4</u>　　la:w5-pa:n5　　kwa:ŋ1-to:ŋ3.
　　　　彼　　　NEG　　　　　　ボス　　　　広東（地名）
　　　　「彼は広東出身のボスではない。」

　(15) a は数詞表現が述語の主要部となる名詞述語文の肯定文であり、(15)
b はその対応する否定表現である。

(15) a. wan2-pjuk4　<u>pe:t3　　　ŋu:t4　　　θip4-ha:5</u>.【肯定文】
　　　　明日　　　八　　　月　　　　十五

140

「明日は（旧暦の）八月十五日である。」

b. wan2-pjuk4　　<u>mɤj2-cɤɯ4</u>　　pe:t3　　ŋu:t4　　θip4-ha:5.

　　明日　　　　　NEG　　　　八　　　月　　　　十五

「明日は（旧暦の）八月十五日ではない。」

　（16）a は「A は B である」という人の職業、身分や属性を表現する名詞述語語文の肯定文である。このような肯定文は、しばしば中国語の「是 shì」や英語の be 動詞に類似するコピュラ動詞 cɤɯ4「である」を用いる。その否定表現は、cɤɯ4「である」の前に、否定標識 mɤj2 を置いて表現する。

　（16）a. te:1　　　　<u>cɤɯ4</u>　　　la:w5-θaj1　　ka:w3-coŋ3.【肯定文】

　　　　彼　　　　　である　　　教師　　　　高校

「彼は高校の教師である。」

　　　 b. te:1　　　　<u>mɤj2-cɤɯ4</u>　　la:w5-θaj3　　ka:w3-coŋ3.

　　　　彼　　　　　NEG　　　　教師　　　　高校

「彼は高校の教師である。」

2.2　po:4 を用いた一般否定

　否定標識 po:4 は否定標識 mɤj2 と比べると、使用できる環境が限られている。否定標識 po:4 は所有動詞 mɤj2「ある、持つ」を用いる動詞述語文の一般否定表現に用いられるが、そのほかの動詞述語文、動詞連続構文、受身や使役表現、形容詞述語および名詞述語文などの否定表現には用いられない。

2.2.1　所有文の一般否定

　所有文は所有動詞 mɤj2「ある、持つ」（否定標識 mɤj2 と同音）を用いて表すが、二通りの方法がある。一つは、所有者が所有物を所有していることを表す。語順は「所有者＋所有動詞＋所有物」である。もう一つは、その所有物の存在場所と共起する場合である。語順は「所有者＋所有動詞＋所有物＋前置詞（所在・存在動詞 jɤw3 と同音）＋所有場所」となる。

　（17）は所有者が所有物を所有していることを表す所有文の否定表現であ

141

り、否定標識 po:4 を所有動詞 mɤj2「ある、持つ」の前に置いて否定を表す。

（17）te:1　　　　po:4　　　mɤj2　　　ŋɤn2.
　　　彼　　　　　NEG　　　持つ　　　お金
　　　「彼はお金を持っていない。」

（18）は所有物の存在場所と共起する所有文の否定表現である。

（18）te:1　　　　po:4　　　mɤj2　　　ruːn2　　jɤw3　　na:m2-niŋ2.
　　　彼　　　　　NEG　　　持つ　　　家　　　～に　　南寧（地名）
　　　「彼は南寧に家がない。」

2.2.2 存在文の否定

　存在文は所有文と同じように、所有動詞 mɤj2「ある、持つ」を用いて表す。語順は「存在場所＋所有動詞＋存在物」（～に～がいる／ある）である。
　（19）は存在文の否定表現であり、存在場所に存在物がいないことを表す。

（19）kja:ŋ1　　　ruːn2　　po:4　　　mɤj2　　tu:1　　θa:p3.
　　　中　　　　　家　　　NEG　　　いる　　類別詞　ゴキブリ
　　　「家の中にゴキブリがいない。」

　（20）は存在文の否定表現であり、存在場所に存在物が存在しないことを表現し、否定語気詞 na:w1 と共起することによって否定の語気を強調する。

（20）tiŋ2　　　　co:ŋ2　　te:1　　po:4　　　mɤj2　　θɤɯ1　　(na:w1).
　　　上　　　　　机　　　彼　　　NEG　　ある　　本　　　　NEG
　　　「彼の机の上に本がないよ。」【彼の机には絶対本がないことを伝う】

2.2.3 po:4 を用いた慣用の否定表現

　龍茗方言には、「po:4＋A＋po:4＋B」のような 4 音節からなる慣用の否定表

現がたくさん観察される。この種の否定表現は龍茗方言に地理的に近い天等県の方言にも観察されると指摘されている（黄美秋 2021：15）。例えば、（21）～（24）で示すように、「po:4＋A＋po:4＋B」構造のAとBは数詞を含む名詞類、動詞、形容詞および意味不明な音節などである。この種の否定表現は、人の人柄や様態などについて述べる時に用いる傾向があり、否定語気助詞［na:w3／na:w1］との共起が観察されない。

（21）　te:1　　　　　po:4　　　　me:4　　　po:4　　　　luk4.
　　　　彼　　　　　　NEG　　　　妻　　　　NEG　　　　子供
　　　　「彼は妻も子供もいない。」

（22）　ʔa:w3　　　　kɤn2　　　ne:4　　　po:4　　　θa:m1　　po:4　　　θɤj3.
　　　　男　　　　　　人　　　　この　　　NEG　　　三　　　　NEG　　　四
　　　　「この男はまともではない。」

（23）　no:ŋ5　wan2-ne:4　　po:4　　jaŋ2　　　　po:4　　　ka:ŋ5　　kwa:3-wan2.
　　　　弟　　今日　　　　　NEG　声を掛ける　NEG　　　話す　　一日中
　　　　「弟は今日一日中何も話さなかった。」

（24）　ce:1　θa:m1　to:j3　　　　ŋo:4　　po:4　　　wa:n1　　po:4　　　ɲa:n1.
　　　　姉　　三　　　～に対する　私　　NEG　　　甘い　　　NEG　　　悪い
　　　　「3番の姉は私に対して思いやりがない。」

2.3　caŋ2 を用いた未然否定

　否定標識 caŋ2「まだ～していない」は動詞の前に置いて未然相として用いられ、動作がまだ行なわれていないことを表す（黄 2022b:78）。そのため、caŋ2 を用いた標準否定を「未然否定」と呼ぶ。否定標識 caŋ2 は所在・存在動詞 jɤw3 の前では用いられないが、その他の動詞述語文、受身や使役表現、形容詞述語およびコピュラ動詞 cɤɰ4 を用いた名詞述語文の一般否定に用いることができる。また、疑問に対する応答は、肯定では「動詞句」をそのままに用い、否定では単独の caŋ2 または「caŋ2＋動詞」を用いる（黄 2022b:83）。

143

2.3.1 動詞述語文の未然否定

ここでは、所有文、一般的な動詞述語文および受身と使役表現の未然否定を分けて考察する。

2.3.1.1 所有文の未然否定

否定標識 caŋ2 は所有文の所有動詞 mɤj2「ある、持つ」に置いて、所有の未然否定を表すことができる。（25）は所有文の未然否定である。

（25） te:1　　　　caŋ2　　　mɤj2　　　me:4.
　　　 彼　　　　　NEG　　　いる　　　妻
　　　 「彼にはまだ妻がいない。」

2.3.1.2 一般的な動詞述語文の未然否定

否定標識 caŋ2 は、自他動詞を問わず、動詞や助動詞の前に置くことができる。（26）は自動詞の前に、（27）は他動詞の前に置く用例である。

（26） fu:5　　　kʰa:5　　　kaj3　　ja:3,　　　to:5　　　caŋ2　　　tʰa:j1.
　　　 叔父（母方）殺す　　　鶏　　終結　　　しかし　NEG　　　死ぬ
　　　 「叔父は鶏を殺そうとしたが、（鶏が）まだ死んでいない。」

（27） ce:1　　　　caŋ2　　　kin1　　　pjaw2.
　　　 姉　　　　　NEG　　　食べる　　晩餐
　　　 「姉はまだ晩ご飯を食べていない。」

（28）は前掲（7）a 動詞連続の肯定文の未然否定である。否定標識 caŋ2 は、否定標識 mɤj2 と同様に、原則として最初の主要動詞 pɤj1「行く」の前に置いて否定を表す。

（28） no:ŋ5　caŋ2　　　pɤj1　　co:j4　　　ma:3　θaw1　　　kʰaw3.
　　　 弟　　NEG　　　行く　　手伝う　　母　　刈り取る　　稲
　　　 「弟はまだ母の稲刈りを手伝いに行っていない。」

また、否定標識 caŋ2 も動詞の前に助動詞 daj5「できる」が付く動詞述語文の一般否定に用いられる。(29) a は前掲 (8) a の未然否定表現である。(29) b のように否定標識 caŋ2 を動詞 pɤj1「行く」の前に置くことができない。

(29) a. no:ŋ5　　　caŋ2　　　daj5　　　pɤj1　　　na:m2-niŋ2.【作例】
　　　　　弟　　　　NEG　　　できる　行く　　　南寧（地名）
　　　　　「弟はまだ南寧に行くことができない。」
　*b. no:ŋ5　　　daj5　　　caŋ2　　　pɤj1　　　na:m2-niŋ2.
　　　　　弟　　　　できる　NEG　　　行く　　　南寧（地名）

　しかし、動詞の前に助動詞 jiŋ3-ka:j1「べき」が付く前掲 (9) a の場合、助動詞 jiŋ3-ka:j1「べき」の前後に否定標識 caŋ2 を置くことができる。(30) a は否定標識 caŋ2 を助動詞 jiŋ3-ka:j1「べき」の前に置いて標準な未然否定を表す。(30) b は「彼を手伝う」が否定のスコープとなっており、文字通りには caŋ2 co:j4 te:1「まだ彼を手伝っていない」（文意は、「まだ彼を手伝うべき時ではない」）と言うが、実際は彼の手伝いに着手したことを含意する。

(30) a. ni:4　　　　caŋ2　　　jiŋ3-ka:j1　co:j4　　　te:1.【作例】
　　　　　あなた　　NEG　　　べき　　　手伝う　　　彼
　　　　　「あなたはまだ彼を手伝うべきではない。」【未着手の時点で】
　　b. ni:4　　　jiŋ3-ka:j1　caŋ2　　　co:j4　　　te:1.【作例】
　　　　　あなた　　べき　　　NEG　　　手伝う　　　彼
　　　　　「あなたはまだ彼を手伝うべき時ではなかった。」【すでに彼を手伝うことに着手してしまった後で】

2.3.1.3　受身や使役の未然否定
　否定標識 caŋ2 は mɤj2 と同様に、受身や使役標識の前に置いてその未然否定を表現することができる。しかし、mɤj2 は受身標識 tauɯ2 を用いた受身表現しか否定できないのに対して、caŋ2 は tauɯ2、ŋa:j2、ŋa:j2-tauɯ2 という 3 つ

の受身標識の前に置くことができる。（31）は受身表現の未然否定である。

（31）te:1　caŋ2　　[tauɥ2／ŋa:j2／ŋa:j2-tauɥ2]　tu:1　　ma:1　kap4.【作例】
　　　　彼　　NEG　　　　　受身標識　　　　　　類別詞　犬　　咬む
　　　　「彼はまだ犬に咬まれていない。」

　また、否定標識 caŋ2 は mɤj2 と同じように、使役標識 hɤɥ5 と cʰo:j1（強制
使役）の前に置いて、使役の未然否定を作ることができる。（32）は使役表現
の未然否定である。

（32）te:1　　caŋ2　　[hɤɥ5／cʰo:j1]　no:ŋ5　　pɤj1　　　ɥa:k4　.【作例】
　　　　彼　　　NEG　　使役標識　　　弟　　　行く　　　学校
　　　　「彼はまだ弟に学校を行かせていない。」

2.3.2　形容詞述語文の未然否定

　否定標識 caŋ2 は、形容詞の前に置いて、形容詞述語文の未然否定を表す。
一般形容詞だけではなく、色彩を表す形容詞の前に置いても、「まだ〜してい
ない」ことを表す。（33）a は形容詞述語文の肯定文であり、（33）b はそれに
対応する未然否定である。（33）b では「バナナがまだ黄色くなっていない」
と表現するため、句末に完了相 ja:3 を付けることができない。

（33）a. kju:5　　　he:n5　　　ja:3.【肯定文・作例】
　　　　バナナ　　黄色い　　完了
　　　　「バナナが黄色くなった。」
　　　b. kju:5　　　caŋ2　　　he:n5.
　　　　バナナ　　NEG　　　黄色い
　　　　「バナナがまだ黄色くなっていない。」【緑のままだ】

2.3.3　名詞述語文の未然否定

　名詞述語文の未然否定は、否定標識 caŋ2 をコピュラ動詞 cɤɥ4「である」

と組合わさった複合否定詞の caŋ2-cɤɰ4「まだ〜ではない」を用いて否定する。元々コピュラ動詞 cɤɰ4 を用いた名詞述語文の場合が、cɤɰ4 の前に caŋ2 を置いて未然否定を表す。

　（34）a はコピュラ動詞 cɤɰ4 を用いた名詞述語文の肯定文である。（34）b はそれに対応する未然否定である。句末に na:w3 を加えたほうが語気が和らぎ、失礼にあたらない。

（34）a. te:1 　　　cɤɰ4 　　　li:2-θɯ:3.　【肯定文・作例】
　　　　　彼　　　　〜である　弁護士
　　　　「彼は弁護士である。」

　　　b. te:1 　　　caŋ2 　　　cɤɰ4 　　　li:2-θɯ:3 　（na:w3）.
　　　　　彼　　　　NEG 　　　〜である　弁護士 　　　NEG
　　　　「彼はまだ弁護士ではないよ。」【弁護士免許がまだ持っていない】

2.4　mɤj2, poː4, caŋ2 の使い分けについて

　以上、龍茗方言の標準否定の統語構造および否定標識 mɤj2, poː4, caŋ2 が平叙文における意味・用法について分析した。以下の表 1 に、3 つの否定標識の統語上の違いをまとめる。「○」は当該の否定標識が当該項目の前に出現できることや共起制限に当てはまることを、「×」は当該の否定標識が当該項目の前に現れないことや共起制限に当てはまらないことを示す。

表 1 否定標識 mɤj2, po:4, caŋ2 における統語上の違い

項目	一般否定		未然否定
否定標識	mɤj2	po:4	caŋ2
所有動詞 mɤj2 の前	×	○	○
存在・所在動詞 jɤw3 の前	○	×	×
一般動詞の前	○	×	○
コピュラ動詞 cɤ ɰ4 の前	○	×	○
助動詞の前（後）	○	×	○
形容詞の前	○	×	○
完了相 ja:3 との共起	○	○	×
［na:w3／na:w1］との共起	○	○	○

3 否定標識を用いた疑問文

　龍茗方言の疑問文には、日本語の「か」や中国語の「嗎」に当たるような疑問標識がない。龍茗方言の有標な疑問文には二つの種類がある。一つ目は、疑問詞を用いた WH 疑問文である。二つ目は、命題の真偽を問う疑問文である。命題の真偽を問う疑問文はさらに 2 種類に分けられる。一つは、一般的に句末に否定標識 mɤj2 または caŋ2 を用いて表現する YES/NO 選択疑問文である。もう一つは、肯定形と否定形を重ねて疑問を表す選択疑問文である。

3.1 YES/NO 疑問文

　（35）a，（36）a，（37）a は否定標識 mɤj2 による YES/NO 疑問文であり、（35）b，（36）b，（37）b はこれに対する回答である。否定標識 mɤj2 で命題の真偽が問われた場合、（35）b，（36）b のように文の主動詞（ここは kin1「飲む」、mɤj2「持つ」）によって肯定の回答をすることや、（37）b のようにコピュラ動詞 cɤ ɰ4「〜である」だけを用いて命題の真偽に対する肯定の回答を行うことが一般的である。

　一方、否定の回答の場合は、否定標識 mɤj2 を単独に用いることができない。また、所有文の否定の回答は必ず（36）b のように否定標識 po:4 と主動

詞 mɤj2「持つ」で否定し、名詞述語文の否定の回答は（37）b のように否定
標識 po:4 とコピュラ動詞 cɤɰ4「～である」で否定する。

（35）a. ni:4　　　<u>kin1</u>　　　nam5　　　<u>mɤj2</u>？
　　　 あなた　　　飲む　　　水　　　　疑問
　　　 「あなたは水を飲むのか。」
　　　b. kin1.　　　[*mɤj2.　　 ／　<u>mɤj2</u>　kin1.　　 ／　<u>mɤj2　na:w3</u>.]
　　　 飲む　　　　NEG　　　　 NEG　飲む　　　　 NEG　NEG
　　　 「飲む。／*しない。／飲まない。／いいえ。」
（36）a. ni:4　　　<u>mɤj2</u>　　　cʰɤw1-ki:3　　　<u>mɤj2</u>？
　　　 あなた　　　持つ　　　携帯　　　　疑問
　　　 「あなたは携帯を持っているのか。」
　　　b. mɤj2.　　 ／　*mɤj2.　 ／　<u>po:4　　 mɤj2</u>（na:w3）.
　　　 持つ　　　　NEG　　　　NEG　持つ　　　NEG
　　　 「持っている。／*しない。／持っていない（よ）。」
（37）a. te:1　　<u>cɤɰ4</u>　　　　la:w5-θaj1　　<u>mɤj2</u>？
　　　 彼　　～である　　　教師　　　　疑問
　　　 「彼は教師であるのか。」
　　　b. cɤɰ4.　　 ／　*mɤj2　　／　<u>mɤj2　cɤɰ4</u>（na:w3）.
　　　 ～である　　　NEG　　　　NEG　～である　　NEG
　　　 「そうだ。／*しない。／違う（よ）。」

　次に、（38）a は否定標識 caŋ2 による YES/NO 疑問文であり、（38）b はこ
れに対する回答である。肯定の回答は主動詞（ここは pɤj1「行く」）を用い、
否定の回答は単独に否定標識 caŋ2 を用いることもできる。

（38）a. ni:4　　　　pɤj1　　　ruɯ:n2　　　<u>caŋ2</u>？
　　　 あなた　　　行く　　　家　　　　疑問
　　　 「あなたは今家に帰るのか。」

149

b. pɤj1. ／[caŋ2. ／caŋ2　　pɤj1　　(na:w3)．／caŋ2　　na:w3.]

　　行く　　NEG　　NEG　　行く　　NEG　　　NEG　　NEG

「帰る。／まだしていない。／まだ帰っていない（よ）。／まだよ。」

3.2　選択疑問文

　龍茗方言には、命題の真偽を問うものとして、肯定形と否定形を重ねた選択疑問文がある。否定標識 mɤj2, po:4, caŋ2 はすべて選択疑問文に用いられる。

(39)　ni:4　　　　pɤj1　　mɤj2　　pɤj1　？

　　　あなた　　　行く　　NEG　　行く

「あなたは行くのか、行かないのか。」

(40)　nam5　　ɗɯ:t3　　mɤj2　　　ɗɯ:t3？

　　　 水　　　熱い　　NEG　　　熱い

「水は熱いのか、熱くないか。」

(41)　te:1　cɤɯ4　　　mɤj2　cɤɯ4　　　li:2-θɯ:3？

　　　彼　～である　NEG　～である　弁護士

「彼は弁護士であるのか、であるまいか。」

(42)　ni:4　　　　mɤj2　　po:4　　mɤj2　　ŋɤn2？

　　　あなた　　　持つ　　NEG　　持つ　　金

　「あなたはお金を持つのか、持たないのか。」

(43)　ni:4　　　　no:n2　　caŋ2　　　no:n2　？

　　　あなた　　　寝る　　NEG　　　寝る

「あなたは寝るのか、まだ寝ないのか。」

4　否定禁止の手法と形式

　龍茗方言の否定に禁止という意味が掛け合わされる時、三つの方法で表現できる。一つ目は、一般否定と未然否定によって表現する方法である。二つ目は、禁止を表す否定標識 ja:2 を用いて表す方法である。三つ目は、複合否定詞によって表現する方法である。否定禁止表現は、基本的に第2人称の制限があるが、規則や規定などに用いる場合は人称を問わない。

4.1 一般否定と未然否定による丁寧な禁止

(44)、(45) のように、句頭にある否定標識 mɤj2 と caŋ2 は、常に句末の否定語気助詞 na:w3 と共に使用され、ja:2 を用いた一般禁止より丁寧な表現である。特に、目上、年上や客人などに対して、禁止あるいは提案を言う時によく使われる。「～しないでください」という意味を持つ。

(44) <u>mɤj2</u>　　　kin1　　　law5　　　<u>na:w3</u>.
　　　NEG　　　飲む　　　酒　　　　NEG
　　　「お酒を飲まないでください。」

(45) <u>caŋ2</u>　　θɤɰ2　　cʰɤw1-ki:3　　hɤɰ5　　no:ŋ5　　<u>na:w3</u>.
　　　NEG　　買う　　携帯　　　　あげる　　弟　　　NEG
　　　「まだ弟に携帯を買ってあげないでください。」

4.2 ja:2 を用いた一般禁止

否定標識 ja:2 は、原則として動詞（mɤj2「いる、ある、持つ」を除く）や使役標識 hɤɰ5「～させる」の前に置いて、やや強い否定禁止「～するな」を表現する。また、句末には否定語気助詞 na:w3 が用いらない。

(46) <u>ja:2</u>　　θɤɰ2　　cʰɤw1-ki:3　　hɤɰ5　　no:ŋ5.
　　　NEG　　買う　　携帯　　　　あげる　　弟
　　　「弟に携帯を買ってあげるなよ。」

(47) te:1　kin1　law5　ja:3,　<u>ja:2</u>　hɤɰ5　kʰaj1　cʰe:1.
　　　彼　飲む　酒　　完了　NEG　～させる 運転する 車
　　　「彼はお酒を飲んだので、車の運転をさせるなよ。」

4.3 複合否定詞による絶対禁止

絶対禁止は一般的な禁止よりも厳しい禁止である。mɤj2-cin5「～してはいけない」、po:4-ja:2「～するな」、po:4-naŋ2-kaw5「～してはいけない」などの複合否定詞が用いられる。また、(50) のように、絶対禁止表現は人称を問わ

ない規定や規則にも使用される。用例のグロスを「禁止」とする。

（48）ni:4　　　　mɤj2-cin5　　te:w4　　　　tɤp2　　　no:ŋ5.
　　　あなた　　　禁止　　　　もう一度　　　殴る　　　弟
　　　「あなたは二度と弟を殴らないでください。」

（49）po:4-ja:2　　hɤɯ5　　　　no:ŋ5-θa:w1　　kak4　　mɯ:2　　kaj1.
　　　禁止　　　　〜させる　　妹　　　　　　一人で　　行く　　街
　　　「妹を一人で街に行かせるな。」

（50）kin1　　　　law5　　　　ja:3,　　　　po:4-naŋ2-kaw5　　kʰaj1　　cʰe:1.
　　　飲む　　　酒　　　　　完了　　　　禁止　　　　　　　運転する　車
　　　「飲酒後の運転は禁止だ。」

5　否定のスコープ

　龍茗方言の否定標識 mɤj2, po:4, caŋ2 は、基本的にその単文中の後続する述部すべてをスコープとする。しかし、否定標識と疑問詞、副詞が同一の文中で生起する場合、否定標識の位置変化によって否定のスコープの違いが生じることがある。また、否定標識と数量表現が同一の文中で生起する場合も、数量表現の種類によって全部否定か部分否定を表すことができる。

5.1　否定標識と疑問詞や副詞との関係

　（51）a は田窪（2005：68）例（28）「没説什麼」（引用者訳：何かを話さなかった）を、（51）b は田窪（2005：69）例（29）「什麼也没説」（引用者訳：何も話さなかった）を参考にした作例である。（51）a は動詞述語文の疑問文の否定であり、その否定のスコープは否定標識 mɤj2 の後続部分の全体である。一方、（51）b は対象を限定しない無条件の否定であり、副詞 to:4「すべて」と疑問詞 ka:4-raŋ1「何」が否定標識の前に現れており、否定のスコープ内に入っていない。しかし、この「ka:4-raŋ1「何」＋to:4＋否定」という語順によって、全部否定を表すことになっている。

（51）a. ni:4　　　mɤj2　　　ka:ŋ5　　　ka:4-raŋ1？【作例】

　　あなた　　　NEG　　　話す　　　何

　　「あなたは何を話さないのか。」

　　b. ni:4　　　ka:4-raŋ1　　　to:4　　　mɤj2　　　ka:ŋ5.【作例】

　　あなた　　　何　　　すべて　　　NEG　　　話す

　　「あなたは何も話さなかった。」

　　また、以上の（51）bのように、「ka:4-raŋ1「何」＋to:4＋否定」だけではなく、「θɤj2-hauɪ1「いつ」＋to:4＋否定」、「tɤj4-hauɪ1「どこ」＋to:4＋否定」、「ka:4-rauɪ2「誰」＋to:4＋否定」などの構造も全部否定を表すことができる。

　　次の（52）aと（53）aは、否定標識 mɤj2 の後続部分のすべてが否定のスコープに入る。しかし、（52）a で mɤj2 と副詞 ju:2-jɤj4「容易に」からなる副詞句が述語の左側に現れると、（52）bのような表現になる。（53）a で mɤj2 と助動詞 ɗaj5「できる」からなる副詞句が述語の左側に現れると、（53）bのような表現になる。この場合、（52）bと（53）bの否定のスコープが狭くなるが、意味上文全体を否定することとなる。

（52）a. pɤ:4-kiŋ3　　ta:5-hjo:2　　mɤj2　　ju:2-jɤj4　　kʰa:w5　　ɗaj5.

　　北京　　　大学　　　NEG　　容易に　　受ける　　得る

　　「北京大学は容易に受からない。」

　　b. pɤ:4-kiŋ3　　ta:5-hjo:2　　kʰa:w5　　ɗaj5　　mɤj2　　ju:2-jɤj4.

　　北京　　　大学　　　受ける　　得る　　NEG　　容易に

　　「北京大学に受かったのは容易ではなかった。」

（53）a. no:ŋ5　　mɤj2　　ɗaj5　　pɤj1　　na:m2-niŋ2.【前掲（8）b】

　　弟　　　NEG　　できる　　行く　　南寧（地名）

　　「弟は南寧に行くことができない。」【南寧に行くチャンスを得なかった】

　　b. no:ŋ5　　pɤj1　　na:m2-niŋ2　　mɤj2　　ɗaj5.【作例】

　　弟　　　行く　　南寧（地名）　　NEG　　できる

　　「弟は南寧に行くことができない。」【南寧に行くための諸条件が整えていなかった。または行くことが許されていなかった】

また、否定標識 mɤj2 が述語動詞の左側に現れると、否定のスコープが狭くなる（54）bのような例も観察される。（54）a の否定のスコープは mɤj2 以降の述語全体であるのに対して、（54）b の否定のスコープは最後の形容詞 ɗe:ŋ2「赤い」だけである。（54）b の否定のスコープが狭くなるが、意味上文全体を否定することとなる点は、前出の（52）b と（53）b と同じである。

(54) a. tʰu:1　　　pʰjɤm1　　te:1　　　mɤj2　　ɲo:m5　　ɗe:ŋ2.
　　　頭　　　　髪の毛　　彼女　　NEG　　染める　　赤く（副）
　　　「彼女の髪の毛は赤く染めない。」

　　 b. tʰu:1　　　pʰjɤm1　　te:1　　　ɲo:m5　　mɤj2　　ɗe:ŋ2.
　　　頭　　　　髪の毛　　彼女　　染める　　NEG　　赤い（形）
　　　「彼女の髪の毛がいくら染められても赤くならない。」

5.2 数量表現との関係

　最後に、否定スコープと数量表現の関係にも触れておく。否定標識と数量表現が同一の文中で生起する時、数量表現が否定のスコープにある場合、数量表現の種類によって全部否定か部分否定を表す。

　（55）a は田窪（2005：69）例（31）「一句話也没説」（引用者訳：一言も言わなかった）を参考にした作例である。（55）a と（55）b の否定のスコープの範囲は同じであるが、（55）a は全部否定であり、（55）b は部分否定である。

(55) a. te:1　　　mɤj2　　ka:ŋ5　　θak4　　　wa:m2. 【作例】
　　　彼女　　　NEG　　話す　　ちっとも　類別詞
　　　「彼女は一言も話さなかった。」

　　 b. te:1　　　mɤj2　　ka:ŋ5　　ki:5-la:j1　wa:m2. 【作例】
　　　彼女　　　NEG　　話す　　いくら　　類別詞
　　　「彼女はあまり話さなかった。」

　（56）a と（56）b は Hayashi（2022：19）の例（26, 27）「太不好／不太好」

154

を参考にした作例である。龍茗方言では「太不好」に当たるような表現は rɤ:3（悪い）＋ la:j1（多い）「悪すぎる」と話すが、「不太好」を（56）b のように言う。中国語が使う副詞と異なって、数量表現を用いられる。（56）a は全部否定であり、（56）b は部分否定である

（56）a. <u>mɤj2</u>　　　ɗaj2　　　<u>θak4</u>　　　<u>ʔi:5.</u>【作例】
　　　　NEG　　　良い　　　ちっとも　特定の少し
　　　　「少しも良くない。」
　　　b. <u>mɤj2</u>　　　ɗaj2　　　<u>ki:5-la:j1.</u>【作例】
　　　　NEG　　　良い　　　いくら
　　　　「あまり良くない。」

6　おわりに

　本稿では、チワン語龍茗方言の標準否定に関わる表現の分析を試みた。特に、龍茗方言の否定の手法と形式、龍茗方言に存在する複数の否定標識の意味上や統語上の用法について考察した。そして、龍茗方言の否定禁止や、否定表現の否定のスコープと疑問詞、副詞および数量表現の関係などについても分析した。分析の結果により、以下の五点が明らかになった。

　第一は、龍茗方言の否定表現は動詞前否定型[7]であることである。主要な否定標識はいずれも動詞の前において否定を表すことができる。この点は、先行研究に報告されたチワン語諸方言だけではなく、チワン語と位置的に近いシナ・チベット語族のほとんどと同じである。

　第二は、龍茗方言の否定表現に 5 つの否定標識が存在することである。そのうち、2 つの標準的な mɤj2, po:4、1 つのアスペクト否定標識 caŋ2、1 つの禁止を表す否定標識 ja:2 および 1 つの否定語気詞［na:w3／na:w1］がある。ja:2 を除いたすべての否定標識は［na:w3／na:w1］と共起できるが、mɤj2 との共起は義務的ではない点はチワン語南部方言に属する徳靖土語（鄭 1992, Eric 2019）と異なる。また、龍茗方言の否定表現では［na:w3／na:w1］以外の

---

[7] Hayashi（2022）で使う the preverbal negation type という用語を踏襲する。

否定標識の間の共起は観察されない。そして、龍茗方言のアスペクト否定標識 caŋ2 は完了相 ja:3 と共起できないが、caŋ2 以外の否定標識は時間表現による制限を受けない。

　第三は、否定禁止表現は第 2 人称の制約があることである。mɤj2, caŋ2 と na:w3 が共起する標準否定は丁寧な禁止や提案を表すこともできるが、ja:2 は否定禁止表現にしか観察できない。絶対禁止表現は mɤj2-cin5「〜してはいけない」、po:4-ja:2「〜するな」、po:4-naŋ2-kaw5「〜してはいけない」などの複合否定詞が用いられる。

　第四は、否定標識 mɤj2 と caŋ2 は疑問文末助詞として、命題の真偽を問う YES/NO 疑問文も用いられることである。また、否定標識 mɤj2, po:4, caŋ2 はいずれも選択疑問文に用いられる。そして、疑問文の回答に単独に使えるのは caŋ2 だけである。禁止を表す否定標識 ja:2 と否定語気詞 ［na:w3／na:w1］は疑問文に使用されない。

　第五は、否定のスコープは原則として否定標識の後続部分の全体である。しかし、否定標識と疑問詞、副詞（句）の語順によって否定の意味に違いが生じうる。疑問詞と副詞 to:4「すべて」が否定標識の左側に、副詞（句）が否定標識の右側に現れる場合、それぞれの否定のスコープの範囲が縮小するが、意味上述語部の否定から文全体の否定へと転じる。また、数量表現が否定のスコープにある場合、数量表現の種類によって全部否定か部分否定を表すことができる。

　本稿は共時的視点から体系的に龍茗方言の標準否定を考察したが、否定表現における二重否定や否定疑問などについては扱っていない。今後は、二重否定や否定疑問について記述と分析を進めたい。さらに、記述と分析を進めるには、当該方言だけでなく、他のチワン語諸方言や、チワン語と同系統のタイ諸語、さらにはチワン語と密接な関係のある中国語（諸方言）との対照を通じて、言語類型地理学的な分析を行うことで、通時的変化の考察も行う必要がある。共時と通時の考察を組み合わせることで、否定標識の文法化や否定表現の発展の過程や、チワン語諸方言に普遍的な文法特徴を解明することが期待できる。これらは今後の課題としたい。

謝辞

　本稿の執筆にあたり、東京外国語大学名誉教授の峰岸真琴先生に丁寧なご指導を頂いた。また、有明工業高等専門学校助教の山田高明氏から貴重なコメントとアドバイスを頂いた。そして、記述にあたっては神戸市外国語大学外国語学部教授の林範彦先生が言語の類型的特徴対照研究会（2022 年 12 月 3 日，ZOOM 開催）における「アジア諸語における否定現象の類型的特徴における諸問題：シナ・チベット諸語を中心に」の口頭発表に提示された記述のポイントに従った。記して感謝の意を表する次第である。本研究におけるいかなる誤謬も筆者個人の責任に帰する。

参考文献

中国語

広西僮文工作委員会研究室・中国科学院少数民族語言調査第一工作隊編（1957）『僮語語法概述』広西民族出版社。

覃鳳余・黄陽・陳芳（2010）「也談壮語否定句的語序」『民族語文』2010 年第 1 期、13-21 頁。

覃其文（2011）「壮語周村話副詞研究」中央民族大学修士論文。

謝海洋（2012）「馬山壮語語法調査与研究」広西大学修士論文。

盧業林（2011）『大新壮語語法調査与研究』広西大学修士論文。

張均如・梁敏・欧陽覚亜・鄭貽青・李旭練・謝建猷（1999）『壮語方言研究』（中国少数民族語言方言研究叢書）四川民族出版社。

中華人民共和国国家統計局編（2021）『中国統計年鑑』（総第 40 期）中国統計出版社。

趙海霞（2022）「広西桂平金田壮語語法調査研究」広西民族大学修士論文。

鄭貽青（1992）「壮語徳靖土語的否定方式」『中央民族学院学報』（1992 年第 2 期）、79-81 頁。

鄭貽青（2013）『靖西壮語研究』広西民族出版社。

黄陽（2010）『靖西壮語語法』広西大学修士論文。

黄南津等編（2018）「広西壮族自治区国家通用言語文字使用状況調査研究」社会科学出版社。

157

黄詩婷（2019）「中里壮語副詞研究」広西民族大学修士論文。

黄雅琦（2020）「田陽壮語参考語法」広西大学修士論文。

黄美秋（2021）「天等壮語否定語和否定句研究」広西民族大学修士論文。

楊威（2012）「双定壮語語法研究」広西大学修士論文。

晏姝（2018）「崇左左州壮語参考語法」広西大学修士論文。

韋慶穏（1985）『壮語語法研究』広西民族出版社。

韋慶穏・覃国生編著（1980）『壮語簡誌』民族出版社。

韋景雲・覃曉航（2006）『壮語通論』中央民族大学出版社。

韋景芸・何霜・羅永現（2011）『燕斎壮語参考語法』中国社会科学出版社。

韋尹璇（2012）「壮語否定句比較研究」中央民族大学修士論文。

韋茂繁（2014）『下坳壮語参考語法』広西人民出版社（2012 年上海師範大学博士論文）。

馬文妍（2011）『柳江壮語語法調査与研究』広西大学修士論文。

劉立峰（2020）「凌雲壮語参考語法」上海師範大学博士論文。

日本語

黄海萍（2018a）「チワン語龍茗方言の音韻体系」一橋大学言語社会研究科『言語社会』第 12 号、一橋大学大学院言語社会研究科、366-343 頁。

黄海萍（2018b）「チワン語龍茗方言研究」一橋大学大学院言語社会研究科博士論文。

黄海萍（2021）「チワン語の情報構造について」言語の類型的特徴対照研究会編『言語の類型的特徴対照研究会論集』第 4 号、日中言語文化出版社、119-138 頁。

黄海萍（2022a）「チワン語の動詞連続：運動・移動表現を中心に」一橋大学大学院言語社会研究科紀要編集委員会編『言語社会』第 16 号、一橋大学大学院言語社会研究科、305-333 頁。

黄海萍（2022b）「チワン語の時の表現」言語の類型的特徴対照研究会編『言語の類型的特徴対照研究会論集』第 5 号、日中言語文化出版社、65-90 頁。

田窪行則（2005）「中国語の否定のスコープと焦点」『中国語学』2005 巻 252 号、61-71 頁。

吉川雅之（2012）「非国家語のラテン文字表記法：中国の壮語（チワン語）の事例」東京大学大学院総合文化研究科言語情報科学専攻編『Language information text』（19）、27-55 頁。

欧米語

Eric Jackson. 2019. TWO-PART NEGATION IN YANG ZHUANG. *Journal of the Southeast Asian Linguistics Society JSEALS 12.1*（2019）: 52-82.

Hayashi, Norihiko. 2022. Negation in the Sino-Tibetan Context --A Brief Introduction--. *Grammatical Phenomena of Sino-Tibetan Languages 5: Diversity of Negation*（2022）: 1-39.

Li, Fang Kuei.1977. *A handbook of comparative Tai*. Honolulu: The University of Hawaii Press.

研究発表応募規定

I　発表資格、発表内容、発表形態

1．　発表者は応募および発表の時点で会員でなければなりません。（研究発表の申し込みと同時に本研究会への入会も申し込めます。）非会員も共同研究者としてプログラムに名前を載せることができますが、実際に発表を行うのは会員に限ります。

2．　発表内容は未発表の研究に限ります。発表テーマは「屈折・膠着・複統合・孤立」といった語形態に基づく言語類型から SOV の基本語順、さらに「主題」「受動構文」「使役構文」「名詞修飾節」など「構文」に関する、形態統語的観点や意味・語用論的観点、機能的観点からの研究で、広く諸言語の類型論的研究への貢献を目的とする研究とします。

3．　発表形態は口頭発表とし、使用言語は原則日本語とします。（持ち時間35 分。うち発表 20 分、質疑応答 15 分）

II　応募要領および採否

4．　発表希望者は、次の①と②の書類（MSWord および PDF）を e-mail の添付ファイルで下記の大会委員長宛に送ってください。（応募後、締切りまでに受け取り確認の連絡がない場合は、再度大会委員長に連絡してください。）
①　「発表要旨」　Ａ４用紙２枚以内（日本語の場合 800 字程度。英語の場合は 500 word 程度。主要な参考文献（字数外）を含めてください。ただし個人が特定できる情報は記入しないこと。）
②　「個人情報」　Ａ４用紙１枚（氏名、ヨミガナ、所属・身分、発表タイトル、電話番号、e-mail アドレス、使用機器の希望。）

5. 発表要旨には、必ず結果・結論を盛り込んで下さい。「このような調査を行う予定である」というようなものは要旨とは呼べません。結論が出た研究のみ、応募することができます。また、個人の特定につながる情報（「拙著」など）は避けて下さい。

6. 本文で言及した論文および発表に重要な関連を持つ先行研究などがある場合は発表要旨にその文献を挙げてください。上記に該当する文献がない場合は，要旨の最後に「引用文献なし」と明記してください。

文献を挙げる際には以下の情報を入れてください。
著者名，出版年，論文名，雑誌名／書名，号数，出版社名　　（例）教育花子（2009）「英語のオノマトペ」『世界のオノマトペ』○×出版

※ 応募者自身の論文であっても，発表の内容に関係する場合には引用してください。その際，次のような言及の仕方をすることによって，執筆者が特定されないようにしてください。
（例）○田中（2010）で {述べられている／指摘されている} ように，…
　　　×田中（2010）で {述べた／指摘した} ように，…
（「＜論文名＞で〜したように，」という表現は（執筆者が特定できるので）使わないでください。）
※ 応募時において公刊されている文献のみを挙げてください（応募時において「印刷中」「投稿中」などの文献は挙げないでください）。

7. 採否は応募者名を伏せて大会委員会で審議し、その結果を大会委員長から応募者に e-mail で通知します。不採用の理由については照会に応じません。

8. 採否通知の際に、大会委員会の判断で発表題目や内容について助言することもあります。

III 採用後から発表まで

9．採用後に各研究会の担当委員をお知らせしますので、担当委員と連絡を
　　取り合いながら発表の準備を進めてください。

10．本研究会では予稿集は作りませんので、各自レジュメを用意してきてく
　　ださい。50 部ほど必要です。

会誌投稿規定

I　投稿資格、投稿論文の内容と形態

1．　投稿者は、投稿する時点で会員でなければならない。（投稿と同時に本研究会への入会を申し込むこともできる。）

2．　投稿論文の内容は、「屈折・膠着・複統合・孤立」などの形態法、SOVなどの基本語順、「主題」「受動構文」「使役構文」「名詞修飾節」などの構文を含めた、諸言語の類型論的研究への貢献を目的とする研究で、未発表原稿に限る。また編集委員が特集を企画し特集論文を募集することがある。

3．　投稿論文の使用言語は日本語または英語とする。論文の分量については、図表を含め34字×30行で20ページ程度を目安とする。

II　投稿の時期、方法及び宛先

4．　投稿は、1年中受けつける。ただし、次号に掲載されるための締切は8月末日とする。

5．　投稿の方法は、e-mail 送信とし、e-mail の本文において、必ず会員であることを書き添える。また、投稿論文の規格は、以下のとおりである。

・用紙サイズ：A 5

・余白：上：16mm、下：13mm、右：17mm、左：17mm

・本文：34字×30行、明朝 10p

・タイトル：ゴシック 12p（英訳も必要）

・氏名：ゴシック 11p（名字と名前の間に1文字分の空白を入れる）

・「要旨」「キーワード」の文字：ゴシック 10.5p

・要旨、キーワードの本文：明朝 9p

・節の番号：0、1、2…（半角ゴシック 10.5p）

・節の下位番号：1.1、1.1.1…（半角ゴシック 10p）

・「参考文献」「引用文献」の文字：ゴシック 10.5p

・参考文献、引用文献の本文：明朝 10p

　　・注は脚注とし、明朝 9p とする

　6．　投稿の宛先は、次のとおりである。また、件名の最初に「投稿原稿」
　をつけること。

　　　ebata@human.niigata-u.ac.jp　（江畑冬生のメールアドレス）

Ⅲ　投稿論文の審査

　7．　投稿論文の採否は、編集委員の権限とする。

　8．　審査結果は投稿論文を受理してから、3 か月以内に通知する。

「言語の類型的特徴対照研究会」顧問・理事名簿（50音順）

顧問：

角道 正佳

鈴木 泰

仁田 義雄

益岡 隆志

理事：

江畑冬生（副代表理事兼会誌編集委員会委員長）

金善美（大会運営委員会委員）

栗林裕（大会運営委員会委員）

澤田英夫（副代表理事兼大会運営委員会委員長）

ベヘナム・ジェイ（ジャヘドザデ）

清水政明

千田俊太郎

林範彦（会誌編集委員会副委員長）

堀江薫（代表理事）

宮岸哲也

編集後記

　『言語の類型的特徴対照研究会論集』第 6 号をお届けいたします．本号には，否定表現に関わる特集論文が 7 編収録されています．否定はモダリティや speech act を含め様々な文法カテゴリと関係する概念であり，類型論的な観点からも興味は尽きません．その中で本特集では特に標準否定 (standard negation) を中心に論じることとし，研究会での議論も踏まえた論考を集めました．残念ながら，今回も投稿論文はありませんでした．本論集の刊行は，以下のスケジュールにより行われました．

2023 年 6 月 30 日	エントリー
2023 年 8 月 15 日	投稿論文（査読有）締切
2023 年 8 月 31 日	特集論文締切
2023 年 12 月 20 日	刊行

　次号以降に関しても，同様のスケジュールにより原稿募集をしていく予定です．会員のみなさまの積極的な投稿をお待ちしております．

2023 年 12 月 12 日
会誌編集委員会委員長　　江畑　冬生
会誌編集委員会副委員長（特集担当）　　林　範彦

言語の類型的特徴対照研究会論集
第 6 号

2024 年 1 月 20 日　初版第 1 刷発行

編著者　　言語の類型的特徴対照研究会
発行者　　関　谷　昌　子
発行所　　日中言語文化出版社
　　　　　〒531-0074 大阪市北区本庄東 2 丁目 13 番 21 号
　　　　　ＴＥＬ　０６（６４８５）２４０６
　　　　　ＦＡＸ　０６（６３７１）２３０３
印刷所　　株式会社 Big Hug